中國美術全集

中國美術全集

篆　刻

全國百佳圖书出版單位
時代出版傳媒股份有限公司
黄　山　書　社

☆ 國家出版基金項目

圖書在版編目（CIP）數據

中國美術全集·篆刻/金維諾總主編；劉恒卷主編.—合肥：黃山書社，2009.10

ISBN 978-7-5461-0691-5

I.中… II.①金… ②劉… III.①美術—作品綜合集—中國—古代 ②漢字—印譜—中國—古代 IV. J121 J292.42

中國版本圖書館CIP數據核字（2009）第155843號

中國美術全集·篆刻

總 主 編：金維諾 卷 主 編：劉 恒 責任印製：李曉明

責任編輯：左克誠 封面設計：蠹魚閣 責任校對：汪國梁

出版發行：時代出版傳媒股份有限公司(http://www.press-mart.com)

黃山書社(http://www.hsbook.cn)

（合肥市翡翠路1118號出版傳媒廣場7層 郵編：230071 電話：3533762）

經 銷：新華書店

印 刷：北京雅昌彩色印刷有限公司

開本：889×1194 1/16 印張：16.875 字數：51千字 圖片：1547幅

版次：2010年6月第1版 印次：2010年6月第1次印刷

書號：ISBN 978-7-5461-0691-5 定價：600圓

《中國美術全集》編纂委員會

《中國美術全集》出版編輯委員會

凡 例

一、編 排

1.本書所選作品範圍爲中國人創作的、反映中國文化的美術品，也收録了少量外國人創作的，在中外文化交流史上具有代表性的美術品，如唐代外來金銀器、清代傳教士郎世寧的繪畫作品等。

2.根據美術品的表現形式和質地，共分爲二十餘類，合爲卷軸畫、殿堂壁畫、墓室壁畫、石窟寺壁畫、畫像石畫像磚、年畫、岩畫版畫、竹木骨牙角雕珐琅器、石窟寺雕塑、宗教雕塑、墓葬及其他雕塑、書法、篆刻、青銅器、陶瓷器、漆器家具、玉器、金銀器玻璃器、紡織品、建築等二十卷，五十册。另有總目録一册。

3.各卷前均有綜述性的序言，使讀者對相應類别美術品的起源、發展、鼎盛和衰落過程有一個較爲全面、宏觀的瞭解。

4.作品按時代先後排列。卷軸畫、書法和篆刻卷中的署名作品，按作者生年先後排列，佚名的一律置于同時期署名作品之後。摹本所放位置隨原作時間。

5.一些作品可以歸屬不同的分類，需要根據其特點、規模等情况有所取捨和側重，一般不重複收録。如雕塑卷中不收録玉器、金銀器、瓷器。當然，青銅器、陶器中有少數作品，歷來被視爲古代雕塑中的精品（如青銅器中的象尊、陶器中的人形罐等），則酌予兼收。

6.爲便于讀者瞭解大型美術品的全貌，墓室壁畫、紡織品等類别中部分作品增加了反映全貌或局部的示意圖。

二、時間問題

7.所選美術品的時間跨度爲新石器時代至公元1911年清王朝滅亡（建築類適當下延）。

8.遼、北宋、西夏、金、南宋等幾個政權的存在時間有相互重叠的情况，排列順序依各政權建國時間的先後。

9.新疆、西藏、雲南等邊疆地區的美術品，不能確知所屬王朝的（如新疆早期石窟寺），以公元紀年表示，可以確知其所屬王朝（如麴氏高昌、回鶻高昌、南詔國、大理國、高句麗、渤海國等）的，則將其列入相應的時間段中。

10.對于存在時間很短的過渡性政權，如新莽、南明、太平天國等，其間産生的作品亦列入相應的時間段中，政權名作爲作品時間注明。

11.某些政權（如先周、蒙古汗國、後金等）建國前的本民族作品，則按時間先後置于所立國作品序列中，如蒙古汗國的美術品放在元朝。

三、圖版説明

12.文字采用規範的繁體字。

13.對所選美術作品一般衹作客觀性的介紹，不作主觀性較强的評述。

14.所介紹内容包括所屬年代、外觀尺寸、形制特徵、内容簡介、現藏地等項，出土的作品儘量注明出土地點。由于資料缺乏或難以考索，部分作品的上述各項無法全部注明，則暫付闕如，以待知者。

四、目録及附録

15.爲了方便讀者查閱，目録與索引合并排印，在每一行中依次提供頁碼、作品名稱、所屬時間、出土發現地/作者、現藏地等信息。

16.爲體現美術作品發展的時空概念，每卷附有時代年表，個别卷附有分布圖，如石窟寺分布圖、墓室壁畫分布圖等。

五、其　他

17.古代地名一般附注對應的當代地名。當代地名的録入，以中華人民共和國國務院批準的2008年底全國縣級以上行政區劃爲依據。

18.古代作者生卒年、籍貫、履歷等情況，或有不同的説法，本書擇善而從，不作考辨。

中國美術全集總目

總目録
卷軸畫
石窟寺壁畫
殿堂壁畫
墓室壁畫
岩畫　版畫
年畫
畫像石　畫像磚
書法
篆刻
石窟寺雕塑
宗教雕塑
墓葬及其他雕塑
青銅器
陶瓷器
玉器
漆器　家具
金銀器　玻璃器
竹木骨牙角雕　珐琅器
紡織品
建築

從官私璽印到流派篆刻

在中國的各種藝術形式中，篆刻是十分獨特的一個門類。它最初從純實用性官私璽印的廣泛應用中發展起來，逐漸成爲以文人藝術家爲創作主體，具有相對獨立審美價值的篆刻藝術。在演進過程中，篆刻藝術始終没有完全脱離開實用意義，同時也始終與自己的母體——古代官私璽印保持着密不可分的聯繫。儘管今天日常使用的公私印章從材料、字體到製作方式都已經與古時大不相同，然而在書畫創作、鑒賞收藏等領域，篆刻作品仍作爲必不可少的組成部分而具有普遍的實用需要。上述因素再加上其本身所具有的藝術魅力，使篆刻藝術至今仍顯示出很强的生命力，并且在不斷地豐富和發展着。

中國璽印的歷史由來已久，儘管對印章的起源時間尚無確切結論，但最晚在戰國時期璽印已被廣泛應用并在製作上達到了相當精妙的水平。按照通常規律，一門藝術或工藝在達到成熟階段之前，首先會經過一段從萌芽到確定的發展過程，以獲得形式規範和技巧經驗的積纍，如果再聯繫到本世紀30年代河南安陽殷墟出土的三枚“商璽”，可以斷定中國璽印的出現肯定要早于戰國時期。

戰國時期的印章通稱爲“鉩”（即後世“璽”字），後人爲將其與秦漢印區别開來，遂將戰國印章稱爲“古鉩”或“古璽”。古璽在各個方面都已經達到了十分成熟的境地：在規格上，官璽和私璽的大小有明顯的差别；在種類上，官璽有職稱璽與烙印璽（烙馬、烙木、印陶等）之分，而私璽除姓名外，又有成語璽、肖形璽等類别；在形式上，無論官璽或私璽，都有白文（陰文）與朱文（陽文）兩種面目；在形狀上，除數量最多的方形外，還有長方形、圓形、三角形、曲尺形以及由不同形狀組合而成者；在製作方法上分爲鑄造和鑿刻兩種；在材料上，則以銅質爲最普遍，間有銀、玉等質地者。

作爲印章最主要的表現内容，古璽所采用的文字與戰國時期的銅器銘文、簡牘帛書等文字都不完全相同，是一個獨立而完整的體系。這一方面標志着古璽的成熟和高度發展，另一方面也是古璽區别于其他時代印章的最重要和最顯著的特徵。

從藝術角度來看，古璽雖然是爲了滿足實用需要而製作的，但設計者和工匠在製作過程中，仍然傾注了大量的巧思妙意，在方寸天地之中創造出了令人贊嘆的藝術效果，而最能體現作者才華與匠心的，則是古璽千變萬化同時又有迹可尋的布局規律。戰國時期的印人善于利用和發揮文字結構的各自特點，在印面中通過端正與欹斜、緊密與疏朗、匀稱與錯落、整齊與參差等對比關係，或先設險勢再施以補救，或在平實中製造變化，最後總能達到活潑生動而又和諧自然的效果。這種效果表面上看去各不相同，令人無從把握，但如果按上述各種對比關係的原則去推敲玩味，則能够尋找出其中的規律與手法。

戰國時期無數印人的才華智慧通過古璽表現出來，遂形成了中國印章發展史上的第一個高峰，同時古璽也成爲後世印人尋求啓發和挖掘靈感的取之不盡的寶庫。

秦朝在兼并了各諸侯國并建立起統一封建政權以後，頒布了一系列法令措施，使社會經濟和文化等各方面都呈現出統一有序的氣象。在璽印方面，秦朝改變了戰國時期自由多變的狀况，對璽印的名稱、制度、形式、文字都作出規定，從而使秦印具有一種新的風格體系而與古璽形成明顯區别。

秦代規定衹有皇帝用印稱“璽”，其餘官吏及私人所用皆稱“印”。秦代官印基本上都是方形，少數下級官吏所用爲長方形（又稱半通印），私印則比官印稍小，有方、長方、圓、橢圓等幾種。秦印不論官私，皆爲白文且用“田”字格或“日”字格將文字分開。在製作方式上，秦印絶大多數爲鑿刻而成，衹有很少一部分出于鑄造。

在全國使用統一的秦篆是秦朝在文字上最重要的措施。秦代印章所采用的，就是經過方整處理的秦篆。這種文字在結構上比古璽文字更加簡潔嚴謹而且規律明確穩定，因此，秦印在篆法上具有端莊整飭而又自然輕鬆的風格特徵。其點畫綫條因出于鑿刻而顯得比較瘦勁，雖粗細變化不明顯，但轉折和起止兩端都有很微妙的處理，常常在方圓、鈍鋭、斷連的轉换中求得藴藉和諧的平衡。結構風格均與秦詔版銘文相近似。

作爲封建政權的秦朝雖然很快就被推翻和取代了，但其璽印制度及形式則被保持和延續下來，并且爲此後數百年間各個朝代的官私印風奠定了基礎。

漢代的制度在許多方面都沿襲了秦代的做法，璽印亦不例外。西漢初期無論官印還是私印，都保持着與秦印基本相同的形式和面目，衹是在點畫上稍比秦印更方整飽滿一些而已。此後才在秦印基礎上發展演變，形成了漢印的成熟風格。

成熟的漢官印亦皆爲白文（少數烙馬、印陶用印除外），形狀有方形和長方兩種，但已去掉了秦印的邊框和界格。在製作上也改爲以鑄造爲主，衹有一些將軍用印或頒發給少數民族首領的印章是出于鑿刻，大約是臨事應急的手段。私印除形制稍小外，其他方面則與官印大致相同，但在種類上比官印更爲豐富和自由。如形狀上比官印多出圓形、不規則形及連珠組合形式；文字上多出繆篆印與鳥蟲篆印；面目上除白文外更有朱文、朱白相間及四靈圖案與文字相間等形式；質地上則銅、銀、鐵、玉、木、石等材料均有。

漢印的風格特徵集中體現在其篆法結構和章法原則上。其文字是在秦篆基礎上融合進隸書結構的漢篆。與秦篆相比，漢篆更加易識適用，由于吸收了隸書成分，故點畫皆取平直方折之勢，較少斜筆與圓轉之形，且由于是出于鑄造的緣故，綫條比較渾厚凝重，字形亦因此而方嚴端整。與上述特點相適應的是，漢代印人在設計印面布局時，不同于古璽的奇逸和秦印的輕鬆，而是利用寬厚的綫條與方整的字形，盡量將印面安排得均衡勻稱和飽滿充實。爲了達到這一目的，或將字形作壓縮擴展處理，或對點畫進行增減合并，從而在統一的原則下大大豐富了對字形結構的塑造經驗與把握能力。

上述諸多因素共同作用的結果，遂使漢印形成了一種端莊雍容、博大寬厚的風格氣象，而在這一龐大的體系中，又包含着許多具體的技巧手法及作品。漢代印章的高度發展及其風格成就，標志着印章藝術繼古璽之後又達到第二個高峰，而後世的文人篆刻家，更是無不將漢印視爲印章藝術的至高境界和學習篆刻的不二法門。

在隨後的魏晋南北朝時期，儘管每個朝代或割據政權的官私印都或多或少帶有一些自己的特點，但總的風格和技巧形式都没有擺脱漢印面貌的籠罩與規範束縛。同時由于這一時期戰亂頻仍，社會動蕩，文化藝術受到很大破壞，文字的使用亦頗爲混亂，因而在以文字爲表現内容的印章領域，自然也呈現出衰頽和粗疏荒率的傾向。

魏晋南北朝以前，印章的主要功能是佩帶取信，其次是在封泥、陶坯、木器、漆器等器物上鈐壓或烙印。到了隋朝，開始出現借助顔料將印章鈐蓋在紙帛上的做法。大約是爲了使鈐蓋的效果更清晰易辨，隋朝將官印的規格加大并改爲朱文，製作方法也從鑄造、鑿刻變爲用預先製好的鉛條盤成字形，再焊牢于印坯内。隨後這種新的官印形式在唐宋時期被廣泛采用，從而完成了中國古代官印在面目上的最顯著的一次巨變。

隋唐官印由于在形制上和做法上都已弃舊創新，自然在風格上也不同于以前。印面的巨大，使其布局和體勢都顯得開闊大方；綫條的盤曲則使點畫圓轉而連貫。儘管隋唐時期漢字結構——書體的演變已經結束和固定下來，致使這時的官印在文字上并没有新的發展，不過獨特的製作方法使其綫條統一在直綫和圓弧綫這兩種形態裏，幾乎没有斜綫和折綫結構，因而面目特徵十分明顯和强烈，同時也使其字形與章法時時流露出稚拙生疏的趣味。如果從藝術角度着眼，則上述特點實際上是頗有啓發靈感和形式變化的借鑒價值的。

宋代在官印的制度上是比較鬆動和靈活的。對于上面講到的隋唐官印典型風格，在宋代官印中則有寬邊、細邊等變化面目，此外更有隸書、楷書官印，使印章藝術的形式面目和表現範圍都更加豐富和擴大。特別值得指出的是，宋代官印的製作者在文字上對隋唐官印字形的結體習慣進行了改造整理，不僅通過鑄造手段使字形更加方正均匀，同時還强調和固定了點畫的曲折反復。這種處理在後來的遼、金、元、明、清官印中被不斷强化誇張，并且形成了登峰造極的“九叠篆”，由此構成了元朝以後官印最突出的特徵。除此之外，元代以後的官印在形式上再也没有什么有價值的貢獻，可以説是官印的衰落時期。

與官印在宋代開始衰弱形成對比的是，私印却在宋代呈現出新的轉折和興盛的萌芽。雖然唐宋時期私印的使用及數量遠不如戰國秦漢時期普遍和豐富，然而在皇家鑒藏用印的帶動下，私人齋號印及收藏印開始出現，一些文人士大夫不僅喜歡和講究個人用印的質量，更親自設計篆文再交工匠製作。同時，元代盛行的私人楷書押印，也爲私印增添了新的面貌與種類。文人參與印章創作的風氣越來越盛，到元代遂發展爲文人篆刻藝術與官印及一般私印分道揚鑣。

上文曾提到，魏晋以前的璽印主要是用于佩帶，而對于宋元以後的篆刻藝術來説，印章的效果則是要借助用印泥鈐蓋出的印拓才能體現出來的。因此，在後人眼中，除了古代璽印本身外，前人的用印遺迹也具有十分重要的價值和意義。

魏晋以前的用印遺迹能保留到今天的很少，其中最主要、數量最多的便是封泥和印陶兩大類。由于印章鈐蓋在封泥或陶器上的印痕與印章本身具有陰文、陽文的轉换，同時再加上封泥和陶器在自然乾燥或燒製的過程中所受到的收縮變形作用，所以在面目上已經與原印有了明顯的不同，呈現出一種古樸自然且帶有殘損斑駁趣味的特殊效果。這種效果十分適合後世印人對古意的向往與追求，于是成爲清末以來許多篆刻家學習和借鑒古代璽印（特别是朱文印）時的重要途徑及風格來源。

與此同時，古人用來佩帶的璽印，在被後人通過印泥鈐蓋成印拓以後，其固有的豐富多樣的效果及風格也因此而更加準確、全面和淋漓盡致地展現出來。這些不同的效果風格不僅爲後人認識和理解歷代璽印提供了便利條件和可靠依據，也使後世篆刻家的取法學習以及尋求個性風格的努力更加明確和有迹可尋。

如果從最初的製作目的和手段來考察，古代璽印大致可以分爲兩類：一類是在正常情况下并且通過規範製作而成者，這類璽印從文字篆法到布局設計都十分嚴謹，可以典型地體現當時的用印制度、習慣及技巧風格，現存絶大部分古代官璽（印）均屬此類；另一類則在面目上較爲粗疏隨意，其中有很大一部分是出于偶然因素（甚至是製作時的技巧失誤）造成的效果。如漢晋時期因應急求快而鑿刻的“將軍章”（又稱急就章）、頒發給少數民族首領的“蠻夷印”、官吏仿照生前官印而草率製作的“隨葬印”（原官印死後須上繳）等等，皆屬此類。此外，正式官印中有一部分在地下受到腐蝕而斑駁破損，因而形成一種特殊的效果，後世稱爲

“爛銅印”，亦可歸入此類。

在當時看來，這後一類作品的效果也許衹是無意中偶然造成的，但其中流露出來的自然之趣往往微妙奇絶而且難以用法則衡量概括，已經成爲後世篆刻家欲擺脱單調平板和追求形式變化時最理想的借鑒對象，因而備受後人的青睞和追仿。

文人參與印章製作的實踐開始于宋元時期。儘管宋代的米芾和元代的趙孟頫、吾丘衍等人都曾親自設計印文篆法，而且吾丘衍也在其著作中明確提出印章創作應當遵循漢印法則的觀點，但當時的印章皆以銅、玉等堅硬材料製作，最終的完成仍然要借助于工匠，所以還不能算是完整意義的文人篆刻。

元末明初的王冕首創以“花藥石”（屬葉蠟石一族）治印，從而使文人士大夫可以脱離對工匠的依賴而獨立完成印章創作。到明代中期，印章藝術在文人中逐漸普遍，而文彭的出現更標志着文人篆刻藝術已經進入成熟階段。

文彭不僅在推廣以石治印方面起了很大的作用，他本人的篆刻亦具有很高的成就。在他的影響帶動下，涌現出何震、蘇宣等一批卓有成就的篆刻家。到晚明時期，朱簡、汪關、歸昌世等人治印皆能别開生面，自成風格且形成派别。文人篆刻至此開始向技巧的個性化和風格的多樣化發展，因而後人亦將明代以來的文人篆刻藝術稱爲流派篆刻。

清代是流派篆刻藝術的鼎盛時期。承接明末文人篆刻的風氣，從清初開始，印壇便形成了名家輩出、流派紛呈的活躍局面，而程邃、林皋、許容等則是當時最有影響的風格代表。

進入清中葉，流派篆刻藝術在廣泛程度和藝術水平上都獲得了質的提高。除了高鳳翰、沈鳳、汪士慎等一批個性較强的印人外，以丁敬等爲代表的“浙派”和以鄧石如爲代表的“皖派”先後崛起，則對流派篆刻的發展産生了重要而深遠的意義。丁敬繼承和發揮了朱簡的切刀技巧，同時在篆法及面目上追仿漢印意趣，從而在技巧和風格上都樹立了一種古樸厚重的典範。隨後繼起的蔣仁、黄易、奚岡、陳豫鍾、陳鴻壽、趙之琛等人都直接取法丁敬或受其影響，形成清代印壇上力量最强大、影響最廣泛的一個派别。鄧石如則于浙派印風方興未艾之際獨闢蹊徑，其刀法用衝力，篆法則化用秦漢碑刻體勢，面貌清新而飄逸流暢。浙、皖兩派的盛行，徹底改變了明末清初尚奇競巧的風氣，從而將篆刻藝術帶到了一個以取法漢印爲原則，同時廣泛借鑒各種古代文字資料，從而達到追求個性風格目標的嶄新境界。儘管當時皖派在聲勢上不如浙派浩大，但在啓迪後人——特别是在爲晚清印壇的輝煌奠定基礎方面，兩派具有同樣的重要作用。晚清時期，在浙派末流逐漸步入僵化程式的同時，皖派的後勁人物吴熙載异軍突起，他將鄧石如的刀法技巧和篆法風格都推到了更加明確和成熟的高度，并揭開了晚清篆刻創新浪潮的序幕。隨後，錢松融合浙、皖兩派技巧，形成渾樸自然的新面貌；徐三庚從篆法入手，將浙派用刀、漢印結構與自家篆書體勢結合爲一體，面目奇异清新；趙之謙由浙派入漢印，更廣取銅鏡、錢幣、詔版、權量、碑刻等文字入印，作品變化豐富而氣息典雅；胡钁得力于漢玉印及鑿印，刀法爽潔，綫條挺勁；黄士陵在學吴熙載的基礎上，于漢銅印獨有深參妙悟，所作外表平實而意韵醇厚；吴昌碩更是出入浙、皖，博采古今，最終將歷代璽印、封泥、瓦當、磚文及自家石鼓文風格熔于一爐，鑄成了自己蒼莽渾厚、大氣磅礴的藝術風格，并成爲清末民初印壇上的領袖人物。通過上述諸多印人的共同努力及其成就，印章藝術在清末達到了繼古璽和漢印以後的第三個高峰。

進入民國以後，篆刻藝術繼續沿着清代印人的實踐向前演進。除了浙派、皖派以及趙之謙、吴昌碩、黄士陵等人的印風都獲得了不同程度的承襲和發展外，民國時期的篆刻藝術在某些方面也取得了超越前人的成就。

一方面，清末以來陸續被重新發現和重新認識的古代文字材料爲印人提供了新的借鑒與啓發，從而豐富了篆刻藝術的技巧形式及表現範圍。如甲骨文、戰國古璽及封泥印陶等都被大量引入篆刻并成爲新奇風格的基礎。另一方面，一些具有超衆才華與魄力的印人通過自己的努力，不僅在個人風格上獲得突破前人束縛的成功，同時也影響了一批追隨者，從而形成了新的流派。如精細工整印風的領袖趙時棡、王禔，大刀闊斧、痛快淋漓的齊璜，潜心封泥并自成面目的趙石，博采古今最終卓然特立的來楚生，便堪稱是這一時期的杰出代表。此外，隸書印、楷書印及圖形印在民國時期從數量到風格也都具有相當的發展，更顯示出篆刻藝術在形式的開拓和面目多樣性方面的潛力。上述新的風格與不斷的創新，直到今天仍在繼續實踐和完善之中。

作爲最具中國文化特色的藝術形式之一，篆刻與書法藝術一樣，一方面體現了漢字結構本身所具有的獨特美感，另一方面也反映了中華民族善于從生活中發現美感并轉化爲藝術活動的創造能力。在印章這個小小的方寸天地之間，古往今來的無數印人施展了各自的才華，從而使印章在實用功能之外又具備了欣賞價值，也爲中國傳統的藝術形式增加了一個特殊的品種。

從藝術創作的角度來看，一件作品的完成，離不開創意構思和實施製作兩個步驟。對于印章來説，不論是在古代官私璽印還是明清文人篆刻，其藝術構成都可以分爲篆法選擇、章法安排和鎸刻（或鑄造）完成這三個組成部分。因而在認識、分析和鑒賞一件印章作品時，也需要從這三個方面加以考察和感受。

所謂篆法選擇，是指印人在構思一件印章時，對文字字體風格的選擇運用。早期璽印所使的文字都是當時社會通行的字體，比如戰國古璽的字體在結構上與當時的金文屬同一系統；而秦漢印章的字體則是以小篆結構爲基礎，融入了一部分隸書的變化和簡省手法。魏晋以後，雖然社會通行的標準字體已經演變成更爲易識易寫的楷書，但由于印章作爲表信憑證的作用越來越突出，嚴謹和防僞成爲印章的重要要求，而篆書筆畫字形的曲折繁複正適應了這種需要，因而在官私印章中采用古奥的篆書字體的做法作爲一種習慣法則被固定下來。再加上中國歷史上崇尚古制的觀念根深蒂固，更使這一規律一直延續到民國時期，而印章製作也由此被稱爲篆刻藝術。

文人篆刻興起以後，儘管印章的字體仍以篆書爲主，但隨着形式技巧的不斷拓展以及尚奇求新審美趣味的盛行，印人們對字形的選擇和運用越來越突出個性化的處理。一般來説，明清篆刻家在字體上大都使用小篆和屬于小篆系統的漢印文字，然而體現在作品中的則是千姿百態、各具面貌的個性化風格，其中字形篆法便起了很重要的作用。采用小篆字形的印人往往强調篆書筆畫的均匀圓暢，注重表現書寫的自然流動趣味。隨着篆書書法的復興和普及，許多印人便將自己的篆書結字風格直接運用到篆刻中。比如清代中期的鄧石如和清末的吴昌碩、徐三庚、趙之謙等人，都是在篆刻保持着各自篆書的風格，因而形成獨特的面目。而采用漢印文字的印人則在保留漢印文字方整端莊特點的基礎上，加入了不同的理解與改造。或摹擬古印殘破斑駁的效果以追求古樸渾厚，或旁參磚瓦陶文及封泥面目以求變化出新。與此同時，還有一些印人進一步拓展眼界，選擇金文、甲骨文等字體入印，從而使篆刻藝術在字形篆法上形成多樣化的活躍局面。

與字形篆法相比，章法安排則是對印面布局的整體設計。一方印章文字數量多少不一，印面形狀大小方圓各异，因此，如何把所需要的文字和諧有序地安排在相應的印面之中，就成爲篆刻創作過程中一個關係成敗的步驟。先秦古璽的字數多寡懸殊，形狀變化也比較豐富，在章法布局上具有靈活多變的奇逸特點。通常字形根據筆畫的繁簡作大小參差處理，在排列擺放上也是隨形布勢，有時字形緊密相靠甚至連接、合并；有時則疏落分離留出大塊空白，不論采取何種手法，在整體上最終都要達到均衡、穩定、和諧的效果。相比之下，漢印則顯示出整齊、莊重、嚴謹的統一規律。漢印的字數以四字六字居多，形狀也基本上取正方形，再加上漢印文字的方正飽滿特徵，因此在布局上基本采取均匀平穩的處理方式。漢印中也有將字形拉長、壓扁或者增減筆畫的現象，但目的都是爲了使筆畫字形之間的空間分配趨于均匀并達到占滿印面的目的。

明清文人篆刻家在章法安排上基本延續了古璽漢印的布局規律，祇不過不同的作者根據自己的喜好和習慣各有側重和發揮。值得指出的是，自從清代後期“以書入印，印從書出”的主張及追求逐漸普遍化，在印法布局上越來越多的人喜歡營造

“疏可走馬，密不容針”的對比效果，印章作品也因此更加注重視覺上的衝擊力，苦心設計出來的粗放率意或不均衡章法布局已成爲篆刻創作中常見的藝術手段。

如果説篆法選擇和章法安排都還屬于篆刻創作過程中構思設計範疇的話，那麼刀法技巧則是構思效果得以實現的具體保證，其最直接的結果便體現爲筆畫的形態特點及風格。在古代官私璽印的製作過程中，最後完成的手段或鑄造或鑿刻，都是由專門的工匠來操作。因此，實用官私璽印在筆畫形態上更多地表現爲嫻熟和統一的規律，儘管其中也有不同的風格類型，但每個時代往往具有明顯的共性，不以個體的獨特面目爲特徵。到了明清文人篆刻階段，對藝術風格的追求以及材料的改變，使刀法——鐫刻技巧在篆刻創作中的作用上升到决定性的重要位置。與實用璽印相比，文人篆刻個體化的實踐性質，决定了印人們對個人獨有風格不遺餘力的探求及强化。明清印人在刀法上的努力大致可以分爲兩條道路。一類是追求書寫的自然趣味，注重刀法的爽利流暢；另一類則是取法古代璽印的渾厚古樸風韵，用刻刀去摹擬古印的筆畫形態乃至剥蝕殘破效果。不管是哪個類型，在實際運用中印人都會表現出各自的理解與發揮，并由此形成個性化的技巧習慣及風格。

最後要指出的是，石質印材的廣泛普及，對篆刻刀法技巧發展也起到了不可忽視的作用。石質印材的軟硬適度和鬆脆性能，不僅使刻印成爲普通人都能掌握的技能，而且在刻刀作用下印石所産生的各種奇妙效果，更促成了篆刻藝術特有審美標準的確立。可以説没有石質印材的普及，也就不會有今天這樣的篆刻藝術。

篆刻作爲一門集文字結構、書法基礎和雕刻技巧諸多因素于一身的綜合藝術形式，體現了中國文化獨有的魅力，實用性與藝術性的和諧統一，至今仍顯示出勃勃不息的生命活力與發展前景。

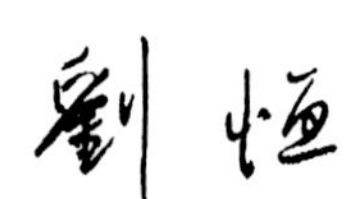

目　録

戰國（公元前四七五年至公元前二二一年）

頁碼	名稱	時代	作者	出處	收藏地
1	春安君	戰國・三晋			上海博物館
1	凶奴相邦	戰國・三晋			上海博物館
1	東武城攻師鉨	戰國・三晋			故宫博物院
1	富昌韓君	戰國・三晋			故宫博物院
1	文糸西彊司寇	戰國・三晋			故宫博物院
2	樂陰司寇	戰國・三晋			上海博物館
2	右司馬	戰國・三晋			上海博物館
2	戰丘司寇	戰國・三晋			上海博物館
2	左邑余子嗇夫	戰國・三晋			故宫博物院
2	右司工	戰國・三晋			故宫博物院
2	平匋宗正	戰國・三晋			故宫博物院
3	右邑	戰國・三晋			
3	陽城冢	戰國・三晋			
3	平陰都司徒	戰國・燕			故宫博物院
3	啹陰都清左	戰國・燕			故宫博物院
3	泃城都丞	戰國・燕			故宫博物院
4	彊邙都司工	戰國・燕			故宫博物院
4	註都左司馬	戰國・燕			故宫博物院
4	將軍之鉨	戰國・燕			
4	庚都丞	戰國・燕			故宫博物院
4	信城匠	戰國・燕			
4	長平君相室鉨	戰國・燕			天津博物館
5	甑陵右司馬敀鉨	戰國・燕			
5	平剛都鉨	戰國・燕			上海博物館
5	甫易鑄師鉨	戰國・燕			天津博物館
5	郯鑄師鉨	戰國・燕			
5	日庚都萃車馬	戰國・燕			
6	易文窖鍴	戰國・燕			故宫博物院

頁碼	名稱	時代	作者	出處	收藏地
6	東易[illegible]澤王節鍴	戰國・燕			
6	大司徒長節乘	戰國・燕			上海博物館
6	單佑都市王節鍴	戰國・燕			
7	王[illegible]右司馬鉨	戰國・齊			上海博物館
7	右聞司馬鉨	戰國・齊			
7	右司馬攺	戰國・齊			
7	罤[illegible]大夫鉨	戰國・齊			上海博物館
7	連垛師鉨	戰國・齊			故宮博物院
7	[illegible]丘事鉨	戰國・齊			上海博物館
8	平阿左廩	戰國・齊			天津博物館
8	右選文宗信鉨	戰國・齊			故宮博物院
8	鄂門枋	戰國・齊			故宮博物院
8	[illegible]郵睖	戰國・齊			
8	鄄安信鉨	戰國・齊			故宮博物院
8	尚[illegible]鉨	戰國・齊			故宮博物院
9	執關	戰國・齊			故宮博物院
9	易向邑聚徒盧之鉨	戰國・齊			中國國家博物館
9	璋[illegible]郝逍信鉨	戰國・齊			
9	陳榑三立事歲右稟釜	戰國・齊			
10	大車之鉨	戰國・齊			故宮博物院
10	[illegible]和这關	戰國・齊			天津博物館
10	左桁廩木	戰國・齊			天津博物館
10	[illegible]戉丘[illegible]畬[illegible]	戰國・齊			
10	右庶長之鉨	戰國・齊			
11	王戎兵器	戰國・秦			天津博物館
11	武關戱	戰國・秦			故宮博物院
11	咸鄏里竭	戰國・秦			
11	軍市	戰國・秦			上海博物館
11	上場行宮大夫鉨	戰國・楚			故宮博物院
12	敬廣之鉨	戰國・楚			上海博物館
12	陳之新都	戰國・楚			上海博物館
12	伍官之鉨	戰國・楚			
12	行士鉨	戰國・楚			
12	[illegible]都[illegible]	戰國・楚			廣東省博物館

頁碼	名稱	時代	作者	出處	收藏地
13	竽鉨	戰國・楚			
13	司寇之鉨	戰國・楚			上海博物館
13	[illegible][illegible]閉郢鉨	戰國・楚			上海博物館
13	[illegible]鉨	戰國・楚			
13	勿正關鉨	戰國・楚			天津博物館
14	郿[illegible]洰[illegible]鉨	戰國・楚			
14	大廎	戰國・楚			故宮博物院
14	民鄞信鉨 (封泥)	戰國			上海博物館
14	祝迅	戰國			上海博物館
14	王瘬	戰國			故宮博物院
15	黄呀	戰國			上海博物館
15	魯�	戰國			故宮博物院
15	司馬城	戰國			首都博物館
15	張山	戰國			
15	吴敓之鉨	戰國			
15	登[illegible]信鉨	戰國			
16	王閒信鉨	戰國			故宮博物院
16	王敓豙信鉨	戰國			
16	[illegible]鉨	戰國			故宮博物院
16	謌事	戰國			上海博物館
16	陳王	戰國			天津博物館
16	郾昗	戰國			天津博物館
17	肖厦	戰國			上海博物館
17	惇于邦	戰國			天津博物館
17	泠賢	戰國			
17	俾言信鉨	戰國			上海博物館
17	侯韋	戰國			上海博物館
17	孫庶	戰國			上海博物館
18	樂膚	戰國			上海博物館
18	肖猲	戰國			故宮博物院
18	佃書	戰國			上海博物館
18	公孫郾	戰國			故宮博物院
18	韓亡澤	戰國			故宮博物院
18	上官黑	戰國			故宮博物院

頁碼	名稱	時代	作者	出處	收藏地
19	陽城閔	戰國			故宮博物院
19	王目	戰國			天津博物館
19	西方疾	戰國			天津博物館
19	韋佔	戰國			天津博物館
19	齜徙	戰國			
19	長生𣂋	戰國			故宮博物院
20	㦰生辻	戰國			故宮博物院
20	鄭冏兩面印	戰國			故宮博物院
20	善壽	戰國			臺北故宮博物院
20	敬事	戰國			上海博物館
20	正行亡私	戰國			上海博物館
21	大吉昌内	戰國			故宮博物院
21	昌内吉	戰國			故宮博物院
21	士君子	戰國			天津博物館
21	書	戰國			上海博物館
21	朱雀紋肖形印	戰國			上海博物館
21	麟紋肖形印	戰國			上海博物館
22	虎紋肖形印	戰國			上海博物館
22	禺彊紋肖形印	戰國			上海博物館
22	雙人紋肖形印	戰國			上海博物館
22	鳥紋肖形印	戰國			上海博物館
22	鳥紋肖形印	戰國			故宮博物院
22	蛇蛙紋肖形印	戰國			故宮博物院

秦（公元前二二一年至公元前二〇七年）

頁碼	名稱	時代	作者	出處	收藏地
23	昌武君印	秦			故宮博物院
23	南宮尚浴	秦			故宮博物院
23	小厩南田	秦			故宮博物院
23	左厩將馬	秦			故宮博物院
23	右厩將馬	秦			上海博物館

頁碼	名稱	時代	作者	出處	收藏地
23	宜陽津印	秦			上海博物館
24	上林郎池	秦			
24	杜陽左尉	秦			故宫博物院
24	灋丘左尉	秦			故宫博物院
24	曲陽左尉	秦			天津博物館
24	樂陶右尉	秦			故宫博物院
24	右司空印	秦			天津博物館
25	邦候	秦			故宫博物院
25	泰倉	秦			上海博物館
25	厩印	秦			故宫博物院
25	樂府丞印（封泥）	秦		陝西西安市相家巷村	
25	宫厩丞印（封泥）	秦		陝西西安市相家巷村	
25	御府丞印（封泥）	秦		陝西西安市相家巷村	
26	雍左樂鐘（封泥）	秦		陝西西安市相家巷村	
26	右織（封泥）	秦		陝西西安市相家巷村	
26	中謁者（封泥）	秦		陝西西安市相家巷村	
26	莊嬰齊印	秦		陝西西安市秦始皇兵馬俑坑	陝西省秦始皇兵馬俑博物館
26	楊歇	秦			故宫博物院
26	張鏍	秦			故宫博物院
27	王毅	秦			
27	于遇之	秦			
27	趙毋忌印	秦			
27	蘇期	秦			
27	公孫何	秦			
27	楊獨利	秦			故宫博物院
28	李逯虒	秦			故宫博物院
28	上官郢	秦			故宫博物院
28	鍚突	秦			故宫博物院
28	楊贏	秦			故宫博物院
28	姚攀	秦			故宫博物院
28	趙游	秦			故宫博物院
29	陰顔	秦			上海博物館
29	利紀	秦			上海博物館
29	司馬戎	秦			

頁碼	名稱	時代	作者	出處	收藏地
29	公孫穀印	秦			
29	臣勝兩面印	秦			故宮博物院
29	江去疾兩面印	秦			故宮博物院
30	敬事	秦			
30	思言敬事	秦			天津博物館
30	中精外誠	秦			故宮博物院
30	百嘗	秦			
30	安衆	秦			
30	云子思土	秦			

西漢至東漢（公元前二〇六年至公元二二〇年）

頁碼	名稱	時代	作者	出處	收藏地
31	皇后之璽	西漢		陝西咸陽市	陝西歷史博物館
31	帝印	西漢		廣東廣州市象崗山南越王墓	廣東省廣州南越王墓博物館
31	淮陽王璽	西漢			
31	文帝行璽	西漢		廣東廣州市象崗山南越王墓	廣東省廣州南越王墓博物館
32	滇王之印	西漢		雲南晋寧縣石寨山6號墓	中國國家博物館
32	宛朐侯埶	西漢		江蘇徐州市簸箕山宛朐侯劉埶墓	江蘇省徐州博物館
32	石洛侯印	西漢			中國國家博物館
32	廣漢大將軍章	西漢			上海博物館
33	楚騎尉印	西漢		江蘇徐州市獅子山楚王墓	江蘇省徐州兵馬俑博物館
33	楚都尉印	西漢		江蘇徐州市獅子山楚王墓	江蘇省徐州兵馬俑博物館
33	楚御府印	西漢		江蘇徐州市獅子山楚王墓	江蘇省徐州博物館
33	海邑左尉	西漢		江蘇徐州市獅子山楚王墓	江蘇省徐州兵馬俑博物館
33	長沙丞相	西漢		湖南長沙市馬王堆2號漢墓	湖南省博物館
33	旃郎厨丞	西漢			故宮博物院
34	宜春禁丞	西漢			故宮博物院
34	琅左鹽丞	西漢			上海博物館
34	浙江都水	西漢			上海博物館
34	彭城丞印	西漢			
34	裨將軍印	西漢			故宮博物院

頁碼	名稱	時代	作者	出處	收藏地
34	校尉之印	西漢			天津博物館
35	湘成侯相	西漢			上海博物館
35	軍司馬印	西漢			臺北故宮博物院
35	假司馬印	西漢			上海博物館
35	未央廄丞	西漢			故宮博物院
35	琅邪尉丞	西漢			上海博物館
35	左丞馮翊	西漢			臺北故宮博物院
36	成皋丞印	西漢			天津博物館
36	代郡農長	西漢			故宮博物院
36	右苑泉監	西漢			故宮博物院
36	渭成令印	西漢			故宮博物院
36	橫海候印	西漢			
36	軍曲候印	西漢			故宮博物院
37	舞陽丞印	西漢			
37	漁陽右尉	西漢			
37	始樂單祭尊	西漢			
37	中都護軍章	西漢			故宮博物院
37	繒丞	西漢		江蘇徐州市北洞山楚王墓	江蘇省徐州博物館
37	尚浴	西漢			上海博物館
38	厨嗇	西漢			上海博物館
38	器府	西漢			陝西歷史博物館
38	西立鄉	西漢			上海博物館
38	樂鄉	西漢			天津博物館
38	大鴻臚	西漢			
38	上久農長	西漢			故宮博物院
39	南執奸印	西漢			上海博物館
39	長沙僕	西漢			湖南省博物館
39	天帝神師	西漢			故宮博物院
39	皇帝信璽（封泥）	西漢			日本東京國立博物館
39	菑川王璽（封泥）	西漢			上海博物館
40	廣陵相印章（封泥）	西漢			上海博物館
40	軑侯家丞（封泥）	西漢			上海博物館
40	齊御史大夫（封泥）	西漢			
40	劉注	西漢		江蘇徐州市龜山楚襄王劉注墓	江蘇省徐州博物館

頁碼	名稱	時代	作者	出處	收藏地
41	妾莫書	西漢		江蘇揚州市老山鄭莊漢墓	江蘇省揚州博物館
41	利蒼	西漢		湖南長沙市馬王堆2號漢墓	湖南省博物館
41	趙眛	西漢		廣東廣州市象崗山南越王墓	廣東省廣州南越王墓博物館
41	桓啓	西漢		湖南長沙市左家塘	湖南省博物館
41	陳閒	西漢		湖南長沙市左家塘	湖南省博物館
41	周誘	西漢		湖南長沙市黄土嶺	湖南省博物館
42	謝李	西漢		湖南長沙市下大壠	湖南省博物館
42	陳請士	西漢			
42	焦驕君	西漢			天津博物館
42	妾徵	西漢			上海博物館
42	竇綰兩面印	西漢		河北滿城縣漢墓	河北省博物館
42	新保塞烏桓贾犂邑率衆侯印	新			
43	五威司命領軍	新		陝西鳳翔縣柳林鎮屯頭村	
43	設屏農尉章	新			上海博物館
43	大師軍壘壁前和門丞	新			天津博物館
43	庶樂則宰印	新			上海博物館
43	水順副貳印	新			上海博物館
43	蒙陰宰之印	新			故宫博物院
44	敦德尹曲後候	新			上海博物館
44	常樂蒼龍曲候	新			故宫博物院
44	校尉司馬丞	新			故宫博物院
44	武威後尉丞	新			天津博物館
44	康武男家丞	新			故宫博物院
44	新成順德單右集之印	新			上海博物館
45	新西河左佰長	新			上海博物館
45	新前胡小長	新			故宫博物院
45	郭尚之印信	新			故宫博物院
45	廣陵王璽	東漢		江蘇揚州市邗江區甘泉2號漢墓	南京博物院
45	朔寧王太后璽	東漢		陝西寧强縣陽平關	重慶市博物館
45	偏將軍印章	東漢		重慶江北區	重慶市博物館
46	平東將軍章	東漢			中國國家博物館
46	琅邪相印章	東漢			故宫博物院
46	南陽守丞	東漢			上海博物館
46	陷陣司馬	東漢			故宫博物院

頁碼	名稱	時代	作者	出處	收藏地
46	㢊泠長印	東漢			故宫博物院
47	華閏苑監	東漢			上海博物館
47	雒陽令印	東漢			上海博物館
47	别部司馬	東漢			
47	胡仟長印	東漢			故宫博物院
47	漢保塞烏桓率衆長	東漢			故宫博物院
47	漢匈奴破虜長	東漢			上海博物館
48	漢匈奴呼盧訾尸逐	東漢			上海博物館
48	千秋樂平單祭尊印	東漢			故宫博物院
48	長壽萬年單左平政	東漢			故宫博物院
48	三老舍印	東漢			天津博物館
48	郑駋	漢			故宫博物院
49	倉内作	漢			故宫博物院
49	道侯騎馬	漢			上海博物館
49	河間王璽（封泥）	漢			上海博物館
49	雒陽宫丞（封泥）	漢			
49	西安丞印（封泥）	漢			
50	齊武庫丞（封泥）	漢			
50	齊宫司丞（封泥）	漢			
50	齊郎中丞（封泥）	漢			
50	東安平丞（封泥）	漢			
50	顯美里附城（封泥）	漢			
50	臣賜（封泥）	漢			
51	武鄉（封泥）	漢			
51	大倉（封泥）	漢			
51	王金	漢			故宫博物院
51	李牟	漢			故宫博物院
51	楊得	漢			故宫博物院
51	牟寬	漢			故宫博物院
52	鮭匽	漢			故宫博物院
52	長孫寬	漢			天津博物館
52	王湜私印	漢			
52	陳壽	漢			湖南省博物館
52	朱聖	漢			

頁碼	名稱	時代	作者	出處	收藏地
52	莊順	漢			
53	魏賞	漢			
53	韓衆	漢			
53	崔湯	漢			
53	濁義	漢			
53	周竟印	漢			天津博物館
53	王褒印	漢			上海博物館
54	藥始光	漢			故宫博物院
54	曹丞誼	漢			
54	司馬敞印	漢			天津博物館
54	丁若延印	漢			上海博物館
54	柏有遂印	漢			
54	鳿與光印	漢			
55	朱萬歲印	漢			
55	楊始樂印	漢			
55	羽嘉之印	漢			天津博物館
55	牛勝之印	漢			
55	陳裦私印	漢			故宫博物院
55	張九私印	漢			上海博物館
56	張壽私印	漢			上海博物館
56	張反私印	漢			
56	左譚私印	漢			
56	徐弘私印	漢			
56	郅通私印	漢			
56	成護印信	漢			故宫博物院
57	高鮪之印信	漢			故宫博物院
57	劉永信印	漢			故宫博物院
57	周隱印封	漢			上海博物館
57	彈尉張宫	漢			
57	鄧弄	漢			湖南省博物館
57	中私府長李封字君游	漢			上海博物館
58	横野大將軍莫府卒史張林印	漢			
58	雍元君印願君自發封完言信	漢			
58	趙詡三十字印	漢			天津博物館

頁碼	名稱	時代	作者	出處	收藏地
58	史少齒	漢			故宫博物院
58	巨雍千萬	漢			上海博物館
58	周黨	漢			上海博物館
59	魏嫽	漢			上海博物館
59	魏霸	漢			上海博物館
59	任彊	漢			故宫博物院
59	碭臞	漢			故宫博物院
59	朱偃	漢			天津博物館
60	壽佗	漢			上海博物館
60	菓縩	漢			天津博物館
60	趙安	漢			
60	賈夷吾	漢			上海博物館
60	趙嬰隋	漢			故宫博物院
60	陽成嬰	漢			天津博物館
61	公孫秦	漢			
61	蘇冰私印	漢			上海博物館
61	蘇循信印	漢			上海博物館
61	吕章信印	漢			上海博物館
61	隗長	漢			上海博物館
61	妾娛	漢			湖南省長沙市博物館
62	馮子之印	漢			
62	祝郃	漢			
62	張奉侯印	漢			
62	鄭勝之	漢			
62	楊長卿	漢			故宫博物院
62	巨趙大萬	漢			
63	巨董千萬	漢			
63	巨吴	漢			
63	巨蔡千萬	漢			上海博物館
63	趙吴人	漢			
63	公孫郚印	漢			上海博物館
63	楊遂成印	漢			
64	蘇敬仁印	漢			
64	祁萬歲印	漢			

頁碼	名稱	時代	作者	出處	收藏地
64	公乘沮印	漢			
64	黄聖之印	漢			
64	張猛	漢			
64	田傑君	漢			
65	杜子沙印	漢			故宫博物院
65	李豐私印	漢			上海博物館
65	馬級私印	漢			上海博物館
65	潘剛私印	漢			上海博物館
65	方爲私印	漢			故宫博物院
65	尚普私印字子良	漢			
66	楊玉	漢			天津博物館
66	辟彊	漢			上海博物館
66	蘇意	漢			故宫博物院
66	曹㜸	漢			湖南省長沙市博物館
66	椄治	漢			上海博物館
67	欒犀	漢			上海博物館
67	薄戎奴	漢			故宫博物院
67	脊棠里	漢			
67	緁伃妾娋	漢			故宫博物院
67	武意	漢			上海博物館
68	祭睢	漢			故宫博物院
68	樊委	漢			中國社會科學院考古研究所
68	閔喜	漢			故宫博物院
68	趙多	漢			故宫博物院
68	張春	漢			
68	弁弘之印	漢			故宫博物院
69	王遂	漢			上海博物館
69	徐成郐徐仁	漢			故宫博物院
69	焦木	漢			
69	袁孫千萬	漢			
69	趙虞兩面印	漢			
70	姚勝兩面印	漢			
70	楊則兩面印	漢			上海博物館
70	石得兩面印	漢			天津博物館

頁碼	名稱	時代	作者	出處	收藏地
70	郭得之兩面印	漢			
70	張𩐁兩面印	漢		陝西寶鷄市古陳倉遺址	
70	常光兩面印	漢			
71	韓距兩面印	漢			
71	朱聚兩面印	漢			上海博物館
71	虞長賓兩面印	漢			故宫博物院
71	田長卿兩面印	漢			故宫博物院
71	吕惠夫兩面印	漢			
71	長利兩面印	漢			
72	徐尊五面印	漢			故宫博物院
72	藉賜兩套印	漢			上海博物館
72	張懿兩套印	漢			故宫博物院
72	楊武兩套印	漢			上海博物館
73	韓寖兩套印	漢			
73	張君憲兩套印	漢			故宫博物院
73	趙松三套印	漢			
73	日利	漢			上海博物館
73	日利	漢			
73	宜子孫	漢			
74	常利	漢			
74	新成日利	漢			
74	出入日利	漢			天津博物館
74	長生不老	漢			天津博物館
74	天帝煞鬼之印	漢			天津博物館
74	“大富貴昌”十六字印	漢			天津博物館
75	“綏統承祖”二十字印	漢			
75	雙人紋肖形印	漢			上海博物館
75	搏擊紋肖形印	漢			
75	人虎紋肖形印	漢			上海博物館
75	虎紋肖形印	漢			上海博物館
75	虎紋肖形印	漢			
76	朱雀紋肖形印	漢			上海博物館
76	駝紋肖形印	漢			
76	四燕紋肖形印	漢			上海博物館

頁碼	名稱	時代	作者	出處	收藏地
76	奔獸紋肖形印	漢			上海博物館
76	奔鹿紋肖形印	漢			
76	門闕紋肖形印	漢			

三國兩晋南北朝（公元二二〇年至公元五八九年）

頁碼	名稱	時代	作者	出處	收藏地
77	關中侯印	三國・魏		河南南陽市石橋鎮	河南博物院
77	虎牙將軍章	三國・魏			上海博物館
77	武猛校尉	三國・魏			河南省洛陽市文物工作隊
77	振威將軍章	三國・魏			上海博物館
77	關内侯印	三國・魏			故宫博物院
77	建春門候	三國・魏			上海博物館
78	魏率善羌佰長	三國・魏			天津博物館
78	魏烏丸率善佰長	三國・魏			上海博物館
78	輔國司馬	三國・魏			天津博物館
78	關外侯印	三國・魏			故宫博物院
78	巧工司馬	三國・吴			故宫博物院
78	叟陷陣司馬	三國・蜀			上海博物館
79	馮泰	三國			
79	晋歸義氐王	西晋			上海博物館
79	晋歸義羌侯	西晋		傳甘肅西和縣	甘肅省博物館
79	關中侯印	東晋		江蘇南京市直瀆山	江蘇省南京市博物館
80	關内侯印	晋			上海博物館
80	關内侯印	晋			上海博物館
80	開陽亭侯	晋			
80	武猛校尉	晋			故宫博物院
80	武猛都尉	晋			故宫博物院
81	鄴宫監印	晋			故宫博物院
81	常山學官令印	晋			天津博物館
81	渭陽邸閣督印	晋			故宫博物院
81	晋率善胡仟長	晋			上海博物館

頁碼	名稱	時代	作者	出處	收藏地
81	晋鮮卑率善佰長	晋			上海博物館
81	晋高句驪率善佰長	晋			中國國家博物館
82	常騎	晋			上海博物館
82	零陵太守章	晋			
82	顏綝六面印	晋		江蘇南京市老虎山	江蘇省南京市博物館
83	氾肇六面印	晋			天津博物館
83	菅納六面印	晋			故宫博物院
83	劉龍三套印	晋			故宫博物院
84	祝遵三套印	晋			上海博物館
84	馬穆印信	晋			天津博物館
84	狄宣印信	晋			
84	范立印信	晋			
84	右賢王印	十六國・北漢			故宫博物院
85	歸趙侯印	十六國・後趙			故宫博物院
85	雁門太守章	十六國・前秦			上海博物館
85	建武將軍章	十六國・後凉			
85	材官將軍章	十六國・南凉			天津博物館
85	且氏護軍司馬印	南朝			天津博物館
86	巴陵子相之印	南朝			上海博物館
86	宣威將軍印	南朝			上海博物館
86	天元皇太后璽	北周		陝西咸陽市渭城區底張鎮北周孝陵	陝西省咸陽博物館
87	西都子章	北朝			上海博物館
87	驩驤將軍	北朝			上海博物館
87	盪寇將軍印	北朝			上海博物館
87	常山太守章	北朝			上海博物館
87	秀容行事印	北朝			上海博物館

隋唐五代十國（公元五八一年至公元九六〇年）

頁碼	名稱	時代	作者	出處	收藏地
88	永興郡印	隋			
88	廣納戍印	隋			

頁碼	名稱	時代	作者	出處	收藏地
88	觀陽縣印	隋			天津博物館
88	右武衛右十八車騎印	隋			
89	中書省之印	唐			故宫博物院
89	尚書兵部之印	唐			
89	唐安縣之印	唐			故宫博物院
89	頤州之印	唐			
90	奉使之印	唐			
90	遂州武信軍節度使印	唐			
90	齊王國司印	唐			上海博物館
90	都亭新驛朱記	唐			上海博物館
91	端居室	唐			
91	貞觀	唐			
91	洞山墨君	唐			上海博物館
91	元從都押衙記	五代十國			
91	都檢點兼牢城朱記	五代十國			上海博物館
92	右策寧州留後朱記	五代十國			故宫博物院
92	清河圖書	五代十國			
92	建業文房之印	五代十國			
92	三界寺藏經	五代十國			

遼宋西夏金元（公元九一六年至公元一三六八年）

頁碼	名稱	時代	作者	出處	收藏地
93	安州綾錦院記	遼			故宫博物院
93	開龍寺記	遼			
93	啓聖軍節度使之印	遼			
93	清安軍節度使之印	遼			
94	契丹文官印	遼			
94	契丹文官印	遼			
94	契丹文私印	遼			
94	伏	遼			上海博物館
94	中書門下之印	宋			

頁碼	名稱	時代	作者	出處	收藏地
95	勾當公事之印	宋			
95	鷹坊之印	宋			
95	宜州管下羈縻都黎縣印	宋			上海博物館
95	平定縣印	宋			上海博物館
96	拱聖下七都虞候朱記	宋			上海博物館
96	左天威軍第四指揮第三都記	宋			
96	馳防指揮使記	宋			上海博物館
96	上蔡縣尉朱記	宋			
97	將領軍馬朱記	宋			
97	振武軍請受記	宋			天津博物館
97	蕃漢都指揮記	宋			天津博物館
97	壽光鎮記	宋			上海博物館
98	内府圖書之印	宋			
98	内府書印	宋			
98	上清北陰院印	宋			
98	壹貫背合同	宋			
99	御書	宋			
99	機暇珍賞	宋			
99	真閣	宋			
99	大觀	宋			
99	御書	宋			
99	政和	宋			
100	宣和	宋			
100	宣和	宋			
100	紹興	宋			
100	紹興	宋			
100	紹興	宋			
100	宣和中秘	宋			
101	御書	宋			
101	御書之寶	宋			
101	奉華堂印	宋			
101	獨樂園	宋			
101	蘇軾之印	宋			
102	趙郡蘇氏	宋			

頁碼	名稱	時代	作者	出處	收藏地
102	讀書堂記	宋			
102	楚國米芾	宋			
102	米姓之印	宋			
102	米芾之印	宋			
103	楚國米姓	宋			
103	米芾之印	宋			
103	米芾元章之印	宋			
103	趙明誠印章	宋			
103	雲壑書印	宋			
103	山陰始封	宋			
104	秋壑珍玩	宋			
104	秋壑	宋			
104	子固	宋			
104	彝齋	宋			
104	周公堇父	宋			
104	嘉遯貞吉	宋			
105	桂軒	宋			
105	秃山	宋			
105	上明圖書	宋			上海博物館
105	一經堂	宋			
105	樂安逢堯私記	宋			上海博物館
105	張氏安道	宋			
106	盧迵	宋			
106	金粟山藏經紙	宋			
106	索	宋			上海博物館
106	高山流水	宋			
106	信物同至	宋			
106	合同	宋			
107	柯山野叟	宋			上海博物館
107	雙龍肖形印	宋			
107	西夏文“首領”	西夏			故宮博物院
107	西夏文“首領磨璧”	西夏			
108	西夏文“迺訛庚印”	西夏			
108	西夏文“首領”	西夏			

頁碼	名稱	時代	作者	出處	收藏地
108	西夏文“千”	西夏			
108	拏里渾河猛安之印	金			吉林省博物院
109	拽撻懶河猛安之印	金			
109	北京樓店巡記	金			上海博物館
109	撒土渾謀克印	金			吉林省博物院
109	越王府文學印	金			上海博物館
110	西戴陽村酒務之記	金			
110	桓術火倉之記	金			
110	道家印	金			
110	青霞子記	金			
111	龍山道人	金			
111	謹	金			
111	内史府	元			
111	清河郡	元			上海博物館
111	益都路管軍千户建字號之印	元			上海博物館
112	經筵講官	元			上海博物館
112	趙氏書印	元			
112	松雪齋	元			
112	吾衍私印	元			
112	布衣道士	元			
113	竹齋圖書	元	王冕		
113	姬姓子孫	元	王冕		
113	柯氏出姬姓吴仲雍四世曰柯相之裔孫	元			
113	訓忠之家	元			
113	朱氏澤民	元			
114	濮陽	元	吴叡		
114	雲濤軒	元	吴叡		
114	漢廣平侯之孫	元	吴叡		
114	黄鶴樵者	元			
114	魯詹	元			
114	野雪道者	元			
115	春	元			
115	許	元			
115	雋	元			

頁碼	名稱	時代	作者	出處	收藏地
115	商	元			
115	彑瓚	元			
115	王（押）	元			上海博物館
116	孟（押）	元			
116	商七（押）	元			
116	河東柳氏	元			
116	韓貴（押）	元			
116	佛像（押）	元			
116	羊紋（押）	元			

明（公元一三六八年至公元一六四四年）

頁碼	名稱	時代	作者	出處	收藏地
117	七十二峰深處	明	文彭		上海博物館
117	文彭	明	文彭		
117	文彭之印	明	文彭		
117	文彭之印	明	文彭		
117	三橋居士	明	文彭		
118	琴罷倚松玩鶴	明	文彭		浙江省杭州市西泠印社
119	文氏休承	明	文嘉		
119	文嘉	明	文嘉		
119	桃隖	明	文嘉		
119	王禄之印	明	王穀祥		
119	堅白齋	明	王穀祥		
119	酉室	明	王穀祥		
120	笑談間氣吐霓虹	明	何震		上海博物館
120	程守之印	明	何震		
120	無功氏	明	何震		
120	青松白雲處	明	何震		
120	蘭雪堂	明	何震		
121	聽鸝深處	明	何震		浙江省杭州市西泠印社
121	延賞樓印	明	何震		

頁碼	名稱	時代	作者	出處	收藏地
121	秦淮卧雪	明	何震		
121	君王縱跡散雲壑借巢夷	明	何震		
121	采真堂印	明	吴良止		上海博物館
122	滴露研硃點周易	明	魏植		
122	三十六峰長周旋	明	魏植		
122	壬辰進士	明	葉原		上海博物館
122	琴樽長若斯	明	沈野		
123	劉守典印	明	吴忠		
123	午龍氏	明	吴忠		
123	羽南	明	吴忠		
123	蘇宣之印	明	蘇宣		
123	流風回雪	明	蘇宣		
124	漢留侯裔	明	蘇宣		
124	江東步兵	明	蘇宣		
124	游方之外	明	蘇宣		
124	深得酒仙三昧	明	蘇宣		上海博物館
124	我思古人實獲我心	明	蘇宣		上海博物館
125	原溪草堂	明	蘇宣		
125	醉月樓	明	蘇宣		
125	長蘅父	明	蘇宣		
125	陳繼儒印	明	蘇宣		
125	同心而離居	明	吴迥		
125	何藻之印	明	吴迥		
126	處無位以聊生	明	吴迥		
126	最是有情癡	明	吴迥		
126	寒山	明	趙宧光		
126	戚歐	明	趙宧光		
126	鄭市	明	趙宧光		
126	關中侯印	明	趙宧光		
127	王賢私印	明	趙宧光		
127	孫遖	明	趙宧光		
127	承清館	明	程遠		
127	文彭之印	明	程遠		
127	曾鯨之印	明	甘暘		

頁碼	名稱	時代	作者	出處	收藏地
127	朱完之印	明	甘暘		
128	金文華印	明	甘暘		
128	梁士斗印	明	甘暘		
128	龍驤之印	明	甘暘		
128	興安令印	明	甘暘		
128	東海喬拱璧穀侯父印	明	甘暘		上海博物館
129	璩之璞印	明	璩之璞		
129	無名之璞	明	璩之璞		
129	祝世禄印	明	金光先		
129	孫賜	明	金光先		
129	痛飲讀離騷	明	金光先		
129	鄧裘私印	明	金光先		
130	程嘉遂印	明	朱簡		
130	米萬鍾印	明	朱簡		
130	龍友	明	朱簡		
130	王穉登印	明	朱簡		
130	汪道昆印	明	朱簡		
130	南羽	明	朱簡		
131	大歡喜	明	歸昌世		
131	負雅志於高雲	明	歸昌世		浙江省杭州市西泠印社
131	白晝筆頭詩泣神	明	歸昌世		
131	張灝之印	明	歸昌世		
131	空名適自誤	明	歸昌世		
131	氣煩則慮亂視邕則志滯	明	歸昌世		
132	李流芳印	明	李流芳		
132	落拓未逢天子呼	明	李流芳		
132	陳金剛印	明	陳元素		
132	素翁	明	陳元素		
132	汪關私印	明	汪關		
133	子孫非我有委蜕而已矣	明	汪關		上海博物館
133	程孝直	明	汪關		
133	朱譚之印	明	汪關		
133	長州婁氏	明	汪關		
133	婁堅之印	明	汪關		

頁碼	名稱	時代	作者	出處	收藏地
134	聽鸝深處	明	汪關		
134	麋公	明	汪關		
134	顧氏府文	明	汪關		
134	慎娱先生	明	汪關		
134	菉斐軒	明	汪關		
135	嘉遂	明	汪關		
135	松圓道人	明	汪關		
135	青松白雲處	明	梁袠		
135	小山樓	明	梁袠		
135	何可一日無此君	明	梁袠		
135	何震	明	梁袠		
136	玄州道人	明	梁袠		
136	食筍齋	明	梁年		浙江省杭州市西泠印社
136	文徵明印	明	邵潜		
136	趙宧光印	明	邵潜		
136	沈周之印	明	邵潜		
137	字公静	明	胡正言		
137	筆禪墨韵	明	胡正言		
137	栖神静樂	明	胡正言		
137	嚮雪岩	明	胡正言		
137	顧景獨醉	明	胡正言		
137	詞人多膽氣	明	何通		
138	王章之印	明	何通		
138	諸葛亮印	明	何通		
138	王維之印	明	何通		
138	努力加餐飯	明	談其徵		
138	辛未進士	明	蘇肇		
139	妓逢紅拂客遇虬髯	明	徐東彦		
139	卜遠私印	明	顧聽		上海朵雲軒
139	吕惟延印	明	江皜臣		上海博物館
140	布衣空惹洛陽塵	明	江皜臣		
140	江湖滿地一漁翁	明	汪泓		
140	持論太高天動色	明	汪泓		
140	半潭秋水一房山	明	汪泓		

頁碼	名稱	時代	作者	出處	收藏地
140	翻嫌四皓曾多事	明	汪泓		
141	漁隱	明	汪泓		
141	日長惟鳥雀春遠獨柴荆	明	汪泓		
141	古照堂	明	汪泓		上海博物館
141	三餘堂 隨菴兩面印	明	丁元公		上海博物館
142	沈民則	明			
142	永樂第一科進士	明			
142	仲昭	明			
142	染翰餘閒	明			
142	西涯	明			
142	吴郡	明			
143	六如居士	明			
143	衡山	明			
143	徵仲父	明			
143	豐氏人季	明			
143	己龍癸虎	明			
143	錢穀	明			
144	白洋山人	明			
144	文長	明			
144	子京父印	明			
144	墨林秘玩	明			
144	神品	明			
144	孫克弘允執雪居書畫記	明			
145	讀蜺堂印	明			
145	稺登	明			
145	畫禪	明			
145	柿葉軒	明			
145	雪堂	明			
145	石癖	明			

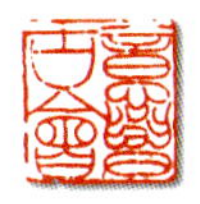

清 (公元一六四四年至公元一九一一年）

頁碼	名稱	時代	作者	出處	收藏地
146	一身詩酒債千里水雲情	清	程邃		
146	少壯三好音律書酒	清	程邃		
146	徐旭齡印	清	程邃		上海博物館
147	竹籬茅舍	清	程邃		
147	修桐軒	清	程邃		
147	谷口農	清	程邃		上海博物館
147	鳶飛魚躍	清	文士英		
147	鷹阿山樵	清	戴本孝		
148	冒襄八面印	清	戴本孝		上海博物館
148	學陶	清	吴晋		上海博物館
149	愧能	清	吴晋		
149	餐英館	清	丁良卯		上海博物館
149	笑書唐字	清	丁良卯		
149	楓落吴江冷	清	顧苓		
149	傳是樓	清	顧苓		
150	月落江横數峰天遠	清	許容		
150	若耶溪上人家	清	許容		
150	小長蘆釣魚師	清	許容		
150	宋人燕石周客胡盧	清	錢楨		
151	天若有情天亦老	清	錢楨		
151	萬古不解天公心	清	錢楨		
151	黄金倘散盡誰識信陵君	清	俞廷諤		
151	多情懷酒伴餘事作詩人	清	吴先聲		
152	深村有酒隔烟渚共乘小艇穿蘆花	清	項道瑋		
152	清湘石濤	清	石濤		
152	瞎尊者	清	石濤		
152	臣僧原濟	清	石濤		
152	若極	清	石濤		
153	柴門老樹村	清	童昌齡		

頁碼	名稱	時代	作者	出處	收藏地
153	安丘張在辛印	清	張在辛		
153	金粟如來是後身	清	張在辛		
153	不爲無益之事何以說有涯之生	清	張在辛		
153	家在揮金故里	清	張在辛		
154	布鼓雷門	清	張在辛		
154	張在辛印	清	張在辛		
154	林皋之印	清	林皋		
154	杏花春雨江南	清	林皋		
154	莆陽鶴田林皋之印	清	林皋		
154	九牧後人	清	林皋		
155	三杯奕飽後一枕黑甜餘	清	林皋		
155	風流儒雅亦吾師	清	林皋		
155	碧梧翠竹山房	清	林皋		
155	衣白山人	清	林皋		
155	諸緣忘盡未忘詩	清	林皋		
155	淑慎爾德	清	王睿章		
156	供香鬻茗點綴詩人情裏景	清	王睿章		
156	左臂	清	高鳳翰		
156	丁巳殘人	清	高鳳翰		
156	山東書生	清	高鳳翰		
156	松籟閣印	清	高鳳翰		
156	古臨海軍人	清	高鳳翰		
157	雪鴻亭長	清	高鳳翰		上海博物館
158	家在齊魯之間	清	高鳳翰		
158	沈鳳私印	清	沈鳳		
158	鳳印	清	沈鳳		
158	花爲四壁船爲家	清	沈鳳		
158	紙窗竹屋燈火青熒	清	沈鳳		
159	七峰草堂	清	汪士慎		
159	一生心事爲花忙	清	汪士慎		
159	七峰居士	清	高翔		
160	疏香果綠之軒	清	高翔		上海博物館
160	先憂事者後樂事	清	高翔		
160	意思蕭散	清	高翔		

頁碼	名稱	時代	作者	出處	收藏地
160	以天得古	清	鄭燮		
160	樗散	清	鄭燮		
161	書畫悅心情	清	鄭燮		
161	敬身	清	丁敬		上海博物館
161	玉几翁	清	丁敬		
161	石泉	清	丁敬		
162	西湖禪和	清	丁敬		
162	白雲峰主	清	丁敬		
163	接山堂	清	丁敬		
163	兩湖三竺萬壑千岩	清	丁敬		
163	嶺上白雲	清	丁敬		
163	石畬老農印	清	丁敬		
164	同書	清	丁敬		上海博物館
164	有漏神仙有髮僧	清	丁敬		
164	杉屋吟箋	清	丁敬		
164	梅竹吾廬主人	清	丁敬		上海博物館
164	寂善之印	清	丁敬		
164	恭則壽	清	聶際成		
165	松山樵	清	聶際成		
165	常須隱惡揚善不可口是心非	清	王玉如		
165	掃地焚香	清	王玉如		
165	小橋流水人家	清	王玉如		
165	林花掃更落徑草踏還生	清	陳煉		
166	願讀人間未見書	清	陳煉		
166	茂松清泉	清	陳煉		
166	畫橋烟樹	清	鞠履厚		
166	姓氏不通人不識	清	鞠履厚		
167	探賾索隱	清	鞠履厚		
167	閒者便是主人	清	鞠履厚		
167	鳳翥鸞翔	清	鞠履厚		
167	寶᷊字生山	清	鞠履厚		上海博物館
167	掃花仙	清	鞠履厚		
168	生于癸丑	清	孫星衍		
168	南山之南	清	王綍		

頁碼	名稱	時代	作者	出處	收藏地
168	此境此時此意	清	王綍		
168	風流肯落他人後	清	潘西鳳		
169	福不可極留有餘	清	潘西鳳		
169	綿潭漁長	清	桂馥		
169	在虎竹	清	桂馥		上海博物館
169	樂夫天命	清	張燕昌		上海博物館
170	小琅嬛	清	董洵		上海博物館
170	中年陶寫	清	董洵		上海博物館
170	香南雪北之廬	清	董洵		
170	明窗净几筆硯精良焚香著書人生一樂	清	陳克恕		
170	慎言語節飲食	清	陳克恕		
171	蔣山堂印	清	蔣仁		上海博物館
171	蔣仁印	清	蔣仁		
171	雲林堂	清	蔣仁		
171	邵志純字曰懷粹印信	清	蔣仁		
171	三摩	清	蔣仁		
172	真水無香	清	蔣仁		上海博物館
173	項墉之印	清	蔣仁		上海博物館
173	一日之迹	清	鄧石如		
173	半千閣	清	鄧石如		
173	淫讀古文甘聞异言	清	鄧石如		上海博物館
174	宦鄰尚褩萊石兄弟圖書	清	鄧石如		上海博物館
174	江流有聲斷岸千尺	清	鄧石如		浙江省杭州市西泠印社
174	完白山人	清	鄧石如		
175	意與古會	清	鄧石如		
176	筆歌墨舞	清	鄧石如		
177	新篁補舊林	清	鄧石如		
178	心閒神旺	清	鄧石如		
179	乙卯優貢辛巳孝廉	清	巴慰祖		上海博物館
179	慰祖信印	清	巴慰祖		
179	董小池	清	巴慰祖		
179	胡唐印信	清	巴慰祖		
179	茶熟香温且自看	清	黄易		
180	小松所得金石	清	黄易		上海博物館

頁碼	名稱	時代	作者	出處	收藏地
180	陳氏晤言室珍藏書畫	清	黄易		
180	趙氏金石	清	黄易		
180	覃谿鑒藏	清	黄易		上海博物館
180	金石癖	清	黄易		
181	秋子	清	黄易		
181	晚香居士	清	黄易		
181	散木居士	清	奚岡		
181	蒙老	清	奚岡		
181	蒙泉外史	清	奚岡		
181	龍尾山房	清	奚岡		上海博物館
182	秋聲館主	清	奚岡		上海博物館
182	頻羅庵主	清	奚岡		上海博物館
182	匏卧室	清	奚岡		上海博物館
182	笥河府君遺藏書畫	清	黄景仁		
182	此懷何處消遣	清	黄景仁		
183	醉香道人	清	黄吕		
183	天君泰然	清	黄吕		上海博物館
183	落紅鋪徑水盈池	清	張梓		
183	惜陰書屋	清	張梓		
184	開卷有益	清	陳渭		
184	性託夷簡時愛林泉	清	陳渭		
184	縱横聯句常侵曉	清	仇塏		
184	膽瓶花落研池香	清	仇塏		
185	白雲深處是吾鄉	清	金鏐		
185	鋤頭當枕江草爲氈	清	金素娟		
185	郱可培印	清	徐寶鈺		上海博物館
185	桃花潭水	清	喬林		
186	人事多所不通惟酷好學問文章	清	喬林		
186	歌吹沸天	清	喬林		
186	飛鴻堂書畫印	清	周芬		
186	春風吹到讀書窗	清	周芬		
186	斜月隱吟窗	清	周芬		
187	枕善而居	清	周芬		
187	深柳讀書堂	清	俞庭槐		

頁碼	名稱	時代	作者	出處	收藏地
187	食氣者壽	清	俞庭槐		
187	爲知者道	清	林霔		
187	從來多古意可以賦新詩	清	林霔		上海博物館
188	白髮書生	清	胡唐		
188	樹穀	清	胡唐		
188	求是齋	清	陳豫鍾		上海博物館
188	趙氏晋齋	清	陳豫鍾		
188	幾生修得到梅花	清	陳豫鍾		
188	文章有神交有道	清	陳豫鍾		
189	書帶草堂	清	陳豫鍾		
189	盧小鳧印	清	陳豫鍾		
189	清嘯閣	清	陳豫鍾		
189	寶花舊氏	清	文鼎		上海博物館
189	向榴私印	清	文鼎		
189	門有通德家承賜書	清	陳鴻壽		
190	石蘿庵主	清	陳鴻壽		上海博物館
190	元梅私印	清	陳鴻壽		
190	南薌書畫	清	陳鴻壽		
190	江郎山館	清	陳鴻壽		上海博物館
190	我書意造本無法	清	陳鴻壽		上海博物館
191	問梅消息	清	陳鴻壽		
191	第一才人第一花	清	陳鴻壽		
191	查揆字伯葵印	清	屠倬		上海博物館
191	吾亦澹蕩人	清	屠倬		
192	蔣村草堂	清	屠倬		
192	天與湖山供坐嘯	清	楊澥		上海博物館
192	計大塤印	清	楊澥		
192	補羅迦室	清	趙之琛		
193	萍寄室	清	趙之琛		
193	回首舊游何在柳烟花霧迷春	清	趙之琛		
193	慧聞畫印	清	趙之琛		
193	緑肥紅瘦	清	趙之琛		
193	曾經滄海	清	趙之琛		
194	古杭高治叔荃印信	清	趙之琛		

頁碼	名稱	時代	作者	出處	收藏地
194	深心託毫素	清	趙之琛		
194	文字飲金石癖翰墨緣	清	趙之琛		上海博物館
194	斛泉	清	嚴坤		
194	小芸香館	清	嚴坤		
195	復翁	清	嚴坤		
195	華南硯北生涯	清	嚴坤		
195	豪氣未除	清	趙懿		
195	襟上杭州舊酒痕	清	趙懿		
195	孫星衍印	清	馮承輝		上海博物館
195	耻爲升斗謀	清	程庭鷺		上海博物館
196	熙載之印	清	吴熙載		
196	攘之	清	吴熙載		
196	姚正鏞字仲聲	清	吴熙載		
196	攘之手摹漢魏六朝	清	吴熙載		
196	汪鋆兩面印	清	吴熙載		
197	觀海者難爲水	清	吴熙載		
197	畫梅乞米	清	吴熙載		
198	宛鄰弟子	清	吴熙載		
198	震无咎齋	清	吴熙載		上海博物館
198	醉墨軒收藏金石書畫	清	吴熙載		
198	銀藤花館	清	張辛		
198	當湖朱善旂建卿父珍藏	清	翁大年		上海博物館
199	朗亭	清	翁大年		上海博物館
199	身行萬里半天下	清	翁大年		上海博物館
199	人在蓬萊第一峰	清	吴咨		
199	白雲深處是吾廬	清	吴咨		
199	人間何處有此境	清	吴咨		
199	守甓齋	清	沈愛蘐		
200	十研樓圖書記	清	沈愛蘐		上海博物館
200	常恐不才身復作無名死	清	楊與泰		
200	餘波雅集圖	清	楊與泰		
200	李聯琇印	清	楊與泰		
200	毛庚私印	清	陳祖望		上海博物館
201	茸龕	清	陳祖望		

頁碼	名稱	時代	作者	出處	收藏地
201	紫陽沛然甫省生珍藏	清	陳祖望		
201	六橋	清	陳祖望		
201	長壽公壽	清	胡震		
201	胡公壽宜長壽	清	胡震		
201	華亭胡氏	清	胡震		上海博物館
202	胡鼻山人同治大善以後所書	清	胡震		
202	稚禾手摹	清	錢松		
202	檇李范守知章	清	錢松		
202	藏壽室印	清	錢松		
203	楊季仇信印大貴長壽	清	錢松		
203	宣公後裔	清	錢松		
203	燕園主人詩詞歌賦之章	清	錢松		
203	一病身心歸寂寞半生遇合感因緣	清	錢松		
204	宋文正公二十三世孫爲金字衣垞	清	江尊		上海博物館
204	得意唐詩晋帖間	清	江尊		
204	延陵季子之後	清	徐三庚		上海博物館
204	王引孫印	清	徐三庚		
205	桃花書屋	清	徐三庚		
205	筆補造化天無功	清	徐三庚		
205	有所不爲	清	徐三庚		
205	滋畬	清	徐三庚		
205	秀水蒲華作英	清	徐三庚		
205	蒲華印信	清	徐三庚		
206	方氏子箴	清	何昆玉		上海博物館
206	曾登琅邪手拓秦刻	清	何昆玉		
206	二金蝶堂	清	趙之謙		
206	悲盦	清	趙之謙		
206	績溪胡澍川沙沈樹鏞仁和魏錫曾會稽趙之謙同時審定印	清	趙之謙		
206	趙之謙印	清	趙之謙		
207	湌經養年	清	趙之謙		
208	丁文蔚	清	趙之謙		
208	魏稼孫	清	趙之謙		
208	鑒古堂	清	趙之謙		

頁碼	名稱	時代	作者	出處	收藏地
208	朱志復字子澤之印信	清	趙之謙		
209	樹鏞審定	清	趙之謙		
209	漢石經室	清	趙之謙		
209	賜蘭堂	清	趙之謙		上海博物館
210	任熊之印	清	朱崇		
210	沈彤元印	清	陳雷		
210	千化笵室	清	王石經		
210	曹鴻勛印	清	王石經		
210	齊東陶父	清	王石經		
211	海濱病史	清	王石經		
211	石門胡钁長生安樂	清	胡钁		上海博物館
211	泉唐楊晋長壽	清	胡钁		
211	高氏兩面印	清	胡钁		
212	秋雲樓	清	胡钁		
212	倉石道人珍秘	清	吴昌碩		
212	缶記	清	吴昌碩		
212	倉碩兩面印	清	吴昌碩		上海博物館
212	安吉吴俊章	清	吴昌碩		
213	湖州安吉縣	清	吴昌碩		
213	明道若昧	清	吴昌碩		
213	山陰沈慶齡印信長壽	清	吴昌碩		上海博物館
213	悔盦	清	吴昌碩		
213	吴俊卿	清	吴昌碩		
214	暴書廚	清	吴昌碩		上海博物館
214	老夫無味已多時	清	吴昌碩		
214	集虚草堂	清	吴昌碩		
215	毗陵趙氏穆父金石因緣印譜	清	趙穆		
215	百將印譜	清	趙穆		
215	百美印譜	清	趙穆		
215	趙穆之印	清	趙穆		
215	祗雅樓印	清	黄士陵		
216	器父	清	黄士陵		
216	鯤游别館	清	黄士陵		
216	茮堂	清	黄士陵		

春安君

戰國・三晉

玉質。覆斗鈕。

三晉是指韓、趙、魏三個從晉國分裂出來的國家，其官璽的形制、印文風格和文字很相像。

現藏上海博物館。

凶奴相邦

戰國・三晉

玉質。覆斗鈕。

現藏上海博物館。

東武城攻師鉨

戰國・三晉

銅質。鼻鈕。

東武城，趙邑。今河北省清河縣東北。攻師，即工師，爲管理手工業之官。

現藏故宫博物院。

富昌韓君

戰國・三晉

銅質。

現藏故宫博物院。

文粂西彊司寇

戰國・三晉

銅質。鼻鈕。

文粂即文臺，魏地，今山東省東明縣東北。司寇，掌管刑事之職。

現藏故宫博物院。

樂陰司寇

戰國・三晋

銅質。鼻鈕。

現藏上海博物館。

左邑余子嗇夫

戰國・三晋

銅質。鼻鈕。

左邑，戰國屬魏，今山西運城聞喜縣。余子即餘子，是卿大夫子弟，其爲官官名也稱餘子。平時警衛王宫，戰時有些需要參戰。嗇夫，小吏名，爲餘子屬官。

現藏故宫博物院。

右司馬

戰國・三晋

銅質。鼻鈕。

現藏上海博物館。

右司工

戰國・三晋

銅質。

現藏故宫博物院。

戰丘司寇

戰國・三晋

銅質。鼻鈕。

現藏上海博物館。

平匋宗正

戰國・三晋

銅質。鼻鈕。

平匋，戰國屬趙，在今山西吕梁文水縣西南。宗正，管理王室事務的官吏。

現藏故宫博物院。

右邑

戰國・三晋
銅質。
邑人是鄉邑之長，也爲軍旅之長。

陽城冢

戰國・三晋
銅質。
陽城，今河南登封市告成鎮東北部，戰國屬韓國。

平陰都司徒

戰國・燕
銅質。鼻鈕。
司徒，周代官名，管理土地、農業、牧業等。《周禮・地官・司徒》："乃立地官司徒，使帥其屬而掌邦教，以佐王安擾邦國。"地方諸侯國也設司徒，平陰都司徒即爲燕國官印。
現藏故宫博物院。

剛陰都清左

戰國・燕
銅質。壇鈕。
剛陰，燕地。
現藏故宫博物院。

泃城都丞

戰國・燕
銅質。壇鈕。
泃，今河北省三河市一帶，爲燕地。丞，爲一城之長。
現藏故宫博物院。

彊邸都司工

戰國・燕

銅質。鼻鈕。

司工爲司空的同名异文。《考工記》鄭玄注：“司空掌營城郭建都邑，立社稷宗廟，造宫室車服器械，監百工者。”

現藏故宫博物院。

庚都丞

戰國・燕

銅質。鼻鈕。

現藏故宫博物院。

�都左司馬

戰國・燕

銅質。壇鈕。

司馬掌軍事。《説文》：“馬，武也。”

現藏故宫博物院。

信城�

戰國・燕

玉質。

或釋爲“信城侯”。

將軍之鉨

戰國・燕

銅質。

將軍，春秋戰國時，將上軍、將中軍、將下軍等官名之通稱。

長平君相室鉨

戰國・燕

玉質。覆斗鈕。

相室，宰相。

現藏天津博物館。

敨陵右司馬敀鉨

戰國・燕

銅質。

郛鑄師鉨

戰國・燕

銅質。

"郛"，"涿"字之古體，即今涿州，戰國時屬燕。

平剛都鉨

戰國・燕

銅質。

現藏上海博物館。

甫昜鑄師鉨

戰國・燕

銅質。鼻鈕。

昜，即陽。"甫陽"又作蒲子邑，位于今山西。鑄師可能是當時管理冶鑄之官。

現藏天津博物館。

日庚都萃車馬

戰國・燕

銅質。

萃，集中之意，可能是當時集中、管理車馬的機構。此爲烙馬印，表示該馬爲此車馬機構所有。

易文宅鍴

戰國・燕

銅質。柱鈕。

鍴，爲“印”字之意，音端， 爲燕國用法。

現藏故宮博物院。

大司徒長節乘

戰國・燕

銅質。柱鈕。

現藏上海博物館。

東易𣵽澤王節鍴

戰國・燕

銅質。

單佑都市王節鍴

戰國・燕

銅質。

王𣏟右司馬鉨
戰國・齊
銅質。鼻鈕。
現藏上海博物館。

罴𨚕大夫鉨
戰國・齊
銅質。鼻鈕。
大夫，縣邑之長。
現藏上海博物館。

右聞司馬鉨
戰國・齊
銅質。

連垛師鉨
戰國・齊
銅質。鼻鈕。
師，（周）輔師之簡稱，輔弼世子之官，兼掌鐘鼓之樂。
現藏故宮博物院。

右司馬攺
戰國・齊
銅質。

莒丘事鉨
戰國・齊
銅質。
現藏上海博物館。

平阿左廩

戰國・齊
銅質。鼻鈕。
平阿爲齊國城市。廩人爲司徒下的官名，爲管理庫廩之官。
現藏天津博物館。

右選文崇信鉩

戰國・齊
銅質。
現藏故宮博物院。

鄂門枋

戰國・齊
銅質。
現藏故宮博物院。

𡨦郵睦

戰國・齊
銅質。

鄄安信鉩

戰國・齊
銅質。
現藏故宮博物院。

尚𠈭鉩

戰國・齊
銅質。鼻鈕。
現藏故宮博物院。

執關

戰國・齊
銅質。
現藏故宫博物院。

璋𠕓鄗逃信鉩

戰國・齊
銅質。

昜向邑聚徒盧之鉩

戰國・齊
銅質。
現藏中國國家博物館。

陳榑三立事歲右稟釜

戰國・齊
陶質。

大車之鉨

戰國・齊

銅質。

現藏故宮博物院。

𢦚戓丘𡧖盦𠂔

戰國・齊

銅質。

譽和这關

戰國・齊

銅質。

現藏天津博物館。

左桁廩木

戰國・齊

銅質。桶鈕。

廩木，應爲管理木材的機構的用印。烙在木材上的印。

現藏天津博物館。

右庶長之鉨

戰國・齊

銅質。

王戎兵器

戰國・秦
銅質。鼻鈕。
現藏天津博物館。

武關戲

戰國・秦
銅質。鼻鈕。
現藏故宮博物院。

咸郿里竭

戰國・秦
銅質。
咸爲咸陽市亭的簡稱。

軍市

戰國・秦
銅質。
現藏上海博物館。

上場行宮大夫鉩

戰國・楚
銅質。鼻鈕。
現藏故宮博物院。

敬賡之鉨

戰國・楚

銅質。鼻鈕。

現藏上海博物館。

陳之新都

戰國・楚

銅質。鼻鈕。

現藏上海博物館。

伍官之鉨

戰國・楚

銅質。

行士鉨

戰國・楚

銅質。

郛都世

戰國・楚

銅質。鼻鈕。

現藏廣東省博物館。

竽鉨

戰國・楚
銅質。
竽爲古代樂器。

司寇之鉨

戰國・楚
銅質。
現藏上海博物館。

[illegible][illegible]閼郢鉨

戰國・楚
銅質。
現藏上海博物館。

[illegible]鉨

戰國・楚
銅質。

勿正闈鉨

戰國・楚
銅質。瓦鈕。
現藏天津博物館。

郿🀆洰🀆鈢

戰國・楚
玉質。

民鄭信鈢（封泥）

戰國
璽印在戰國和秦漢時期是作爲官府文書或貨物交流的憑信而使用的，一般打在密封物品的泥團上，稱爲“封泥”，類似現代火漆固封文書的用法。
現藏上海博物館。

大府

戰國・楚
銅質。直鈕。
大府是古代國家掌管財賦物資的機構。國家税收及其他財政收入均歸大府收藏，官府支用也是由大府撥發。
現藏故宫博物院。

祝迅

戰國
銅質。鉤鈕。
現藏上海博物館。

王瘲

戰國
銅質。鼻鈕。
現藏故宫博物院。

黃呀

戰國

銅質。鼻鈕。

現藏上海博物館。

張山

戰國

銅質。

魯遺

戰國

銅質。

現藏故宫博物院。

吴敓之鉨

戰國

銅質。

司馬城

戰國

銅質。

現藏首都博物館。

登賸信鉨

戰國

銅質。

王間信鉨
戰國
銅質。
現藏故宫博物院。

誙事
戰國
銅質。
現藏上海博物館。

王敓豖信鉨
戰國
銅質。

陳王
戰國
玉質。
現藏天津博物館。

釗鉨
戰國
銅質。
現藏故宫博物院。

鄗昃
戰國
緑松石質。鼻鈕。
現藏天津博物館。

肖賢
戰國
玉質。覆斗鈕。
現藏上海博物館。

惇于邦
戰國
玉質。鼻鈕。
現藏天津博物館。

汵賢
戰國
玉質。壇鈕。

佳言信鉨
戰國
銅質。
現藏上海博物館。

侯曐
戰國
銅質。鼻鈕。
現藏上海博物館。

孫庶
戰國
銅質。
現藏上海博物館。

樂虎

戰國

銅質。

現藏上海博物館。

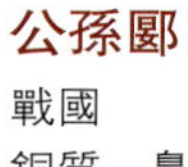

公孫鄙

戰國

銅質。鼻鈕。

現藏故宫博物院。

肖猲

戰國

銅質。

現藏故宫博物院。

韓亡澤

戰國

銅質。鼻鈕。

現藏故宫博物院。

佃書

戰國

銅質。

現藏上海博物館。

上官黑

戰國

銅質。鼻鈕。

現藏故宫博物院。

陽城閔

戰國

銅質。鼻鈕。

現藏故宫博物院。

王目

戰國

銅質。鼻鈕。

現藏天津博物館。

西方疾

戰國

銅質。鼻鈕。

現藏天津博物館。

葦佶

戰國

銅質。鼻鈕。

現藏天津博物館。

雝徙

戰國

銅質。

長生䵼

戰國

銅質。觽鈕。

現藏故宫博物院。

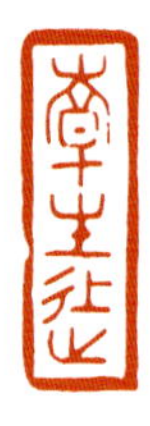

䜌生让

戰國

銅質。觽鈕。

現藏故宫博物院。

鄭岡兩面印

戰國

銅質。

印文：一爲“鄭岡”；一爲“敬”。

現藏故宫博物院。

善壽

戰國

銅質。壇鈕。

從戰國起，開始出現箴言印和吉語印。箴言印的印文多爲修身警語，吉語印的印文多爲辟邪祈福内容。

現藏臺北故宫博物院。

敬事

戰國

銅質。鼻鈕。

現藏上海博物館。

正行亡私

戰國

銅質。

現藏上海博物館。

大吉昌内
戰國
銅質。
現藏故宫博物院。

昌内吉
戰國
銅質。
現藏故宫博物院。

士君子
戰國
銅質。
現藏天津博物館。

書
戰國
銅質。
現藏上海博物館。

朱雀紋肖形印
戰國
銅質。亭鈕。
肖形印的圖案多爲祥瑞動物。
現藏上海博物館。

麟紋肖形印
戰國
銅質。鼻鈕。
現藏上海博物館。

虎紋肖形印
戰國
銅質。
現藏上海博物館。

鳥紋肖形印
戰國
銅質。
現藏上海博物館。

禺彊紋肖形印
戰國
銅質。鼻鈕。
現藏上海博物館。

鳥紋肖形印
戰國
銅質。鼻鈕。
現藏故宮博物院。

雙人紋肖形印
戰國
銅質。
現藏上海博物館。

蛇蛙紋肖形印
戰國
銅質。鼻鈕。
現藏故宮博物院。

昌武君印

秦

銅質。鼻鈕。

秦始皇規定天子之印稱“璽”，臣下之印稱“印”，此爲“印”字見于印章之始。秦代設立“符節令丞”，即監印官，使秦官印文字和形制都趨于統一，奠定了後世官印形制的基礎。

現藏故宫博物院。

南宫尚浴

秦

銅質。鼻鈕。

尚浴，尚浴官，司職貴族洗浴。

現藏故宫博物院。

小厩南田

秦

銅質。鼻鈕。

小厩，秦宫廷厩苑。1976年秦始皇陵東側馬厩坑出土的銅器及陶器上的刻辭中記有秦宫廷厩苑名稱“大厩”、“中厩”、“小厩”、“宫厩”、“左厩”等，可推知應爲宫廷厩苑名稱。

現藏故宫博物院。

左厩將馬

秦

銅質。鼻鈕。

左厩，秦宫廷厩苑。

現藏故宫博物院。

右厩將馬

秦

銅質。鼻鈕。

右厩，秦宫廷厩苑。

現藏上海博物館。

宜陽津印

秦

銅質。鼻鈕。

宜陽，今河南省宜陽縣西。津爲渡口，此印應爲宜陽縣掌津關渡口之官。

現藏上海博物館。

上林郎池

秦

銅質。鼻鈕。

上林，秦宫苑名。郎池，上林中池名。

曲陽左尉

秦

銅質。瓦鈕。

曲陽有二地，一爲戰國趙國屬地，在今河北省曲陽縣西。一爲戰國魏國屬地，在今河南省濟源市西。

現藏天津博物館。

杜陽左尉

秦

銅質。鼻鈕。

杜陽，今陝西省麟游縣西北。左尉，左部尉。秦漢大縣置左、右部尉分治之。爲縣長官之屬。

現藏故宫博物院。

樂陶右尉

秦

銅質。鼻鈕。

現藏故宫博物院。

瀗丘左尉

秦

銅質。鼻鈕。

瀗丘，秦之廢丘。今陝西省興平市東南南佐村。

現藏故宫博物院。

右司空印

秦

銅質。鼻鈕。

司空主管水利、工程、 監獄及刑徒，從中央到郡縣都有司空。此右司空爲少府屬官，爲左、右司空之一。

現藏天津博物館。

邦候

秦

銅質。鼻鈕。

秦漢間低級官吏的長方形官印，大小約爲正方形官印的一半，稱“半通印”。邦，指邦門，也即城門，邦候應是警衛城門之負責人。

現藏故宫博物院。

樂府丞印（封泥）

秦

陝西西安市相家巷村出土。

秦時設立樂府，掌宫廷禮樂，樂府丞爲主管樂府令之佐官。

泰倉

秦

銅質。魚鈕。

倉，應爲縣邑中之糧倉，此應爲縣倉官用印。

現藏上海博物館。

宫廄丞印（封泥）

秦

陝西西安市相家巷村出土。

宫廄，宫廷廄苑。宫廄丞爲宫廄主管宫廄令之佐官。

廄印

秦

銅質。鼻鈕。

秦有泰廄、宫廄等六廄職别。

現藏故宫博物院。

御府丞印（封泥）

秦

陝西西安市相家巷村出土。

御府，掌宫廷服飾織造與保管。御府丞爲御府主管御府令之佐官。

雍左樂鐘（封泥）

秦
陝西西安市相家巷村出土。
雍，縣名，故城在今陝西省鳳翔縣南。左樂，秦樂署分左右。此印爲雍地左樂署的鐘官印。

右織（封泥）

秦
陝西西安市相家巷村出土。
織室，爲掌宮廷織造的官署，分左右。

中謁者（封泥）

秦
陝西西安市相家巷村出土。
中書謁者令的簡稱，往往以宦官任之，掌引見臣下、傳達文書之使命。

莊嬰齊印

秦
陝西西安市秦始皇兵馬俑坑出土。
銅質。龜鈕。
現藏陝西省秦始皇兵馬俑博物館。

楊欬

秦
銅質。鼻鈕。
現藏故宮博物院。

張鏍

秦
銅質。鼻鈕。
現藏故宮博物院。

王穀

秦

銅質。

于遇之

秦

銅質。

趙毋忌印

秦

銅質。

蘇期

秦

銅質。

公孫何

秦

銅質。

楊獨利

秦

銅質。鼻鈕。

現藏故宫博物院。

李逯虒

秦

銅質。鼻鈕。

現藏故宫博物院。

楊贏

秦

銅質。穿帶鈕。

現藏故宫博物院。

上官郢

秦

銅質。鼻鈕。

現藏故宫博物院。

姚攣

秦

銅質。鼻鈕。

現藏故宫博物院。

鍚突

秦

銅質。鼻鈕。

現藏故宫博物院。

趙游

秦

銅質。鼻鈕。

現藏故宫博物院。

陰顔

秦

銅質。壇鈕。

現藏上海博物館。

利紀

秦

銅質。

現藏上海博物館。

司馬戎

秦

銅質。

公孫穀印

秦

玉質。

臣勝兩面印

秦

銅質。

印文：一爲“臣勝”；一爲“勝”。

兩面印印體上鑿孔，可以穿帶，故又稱“穿帶印”。

現藏故宫博物院。

江去疾兩面印

秦

銅質。

印文：一爲“江去疾”；一爲“江法疾”。

現藏故宫博物院。

敬事

秦

銅質。

百嘗

秦

銅質。

思言敬事

秦

銅質。鼻鈕。

現藏天津博物館。

安衆

秦

銅質。

中精外誠

秦

銅質。鼻鈕。

現藏故宮博物院。

云子思土

秦

銅質。

皇后之璽

西漢
陝西咸陽市出土。
玉質。螭虎鈕。
漢代皇后用璽。從秦始皇始，衹有皇帝的璽才能用玉，其它官印皆不可用玉。漢代規定漢帝璽“皆白玉，螭虎鈕”，“皇后玉璽，文與帝同”，皇后印也可“金璽，螭虎鈕”。
現藏陝西歷史博物館。

帝印

西漢
廣東廣州市象崗山南越王墓出土。
玉質。虎鈕。
爲南越王用印。
現藏廣東省廣州南越王墓博物館。

淮陽王璽

西漢
玉質。覆斗鈕。
諸侯王可稱璽。漢代封淮陽王有多人：一爲漢高祖之子劉友，二爲漢文帝之子劉武，三爲漢宣帝之子劉欽。此印可能爲劉欽一系用印。漢代百官皆不可用玉印，所以此印應是殉葬印，而不是實用印。

文帝行璽

西漢
廣東廣州市象崗山南越王墓出土。
金質。龍鈕。
文帝，西漢第二代南越王，其繼位時間相當于漢武帝建元元年（公元前140年）。漢帝日常使用的有皇帝行璽、皇帝之璽、皇帝信璽、天子行璽、天子之璽、天子信璽，史稱“乘輿六璽”。此南越王印模仿漢帝璽印之制。漢代規定，金印，諸侯王用黄金橐駝鈕，列侯、丞相、太尉和三公及大將軍用黄金龜鈕。
現藏廣東省廣州南越王墓博物館。

滇王之印

西漢
雲南晋寧縣石寨山6號墓出土。
金質。蛇鈕。
爲漢武帝時賜給滇國首領的印章。滇國爲雲南一帶的政權，後接受漢朝的封賜。
現藏中國國家博物館。

宛朐侯埶

西漢
江蘇徐州市簸箕山宛朐侯劉埶墓出土。
金質。龜鈕。
宛朐侯爲劉埶，此爲其用印。
現藏江蘇省徐州博物館。

石洛侯印

西漢
金質。龜鈕。
爲列侯印信。石洛侯爲城陽頃王之子劉敢，封侯于漢武帝元狩元年（公元前122年），征和三年（公元前90年）由于殺人被處死。
現藏中國國家博物館。

廣漢大將軍章

西漢
銀質。龜鈕。
大將軍爲漢代最高級别武將，與列侯、丞相同級。漢代規定秩中二千石的高官用銀印，龜鈕。
現藏上海博物館。

楚騎尉印

西漢
江蘇徐州市獅子山楚王墓出土。
銀質。龜鈕。
騎尉應爲郡守或侯國屬官，職掌騎兵。
現藏江蘇省徐州兵馬俑博物館。

楚都尉印

西漢
江蘇徐州市獅子山楚王墓出土。
銀質。龜鈕。
都尉爲郡都尉之簡稱。秦時爲郡守屬官，掌管一郡之武事。西漢景帝中元二年（公元前148年）更名郡守爲太守，郡尉爲都尉。都尉職掌一郡或侯國之軍事及治安。
現藏江蘇省徐州兵馬俑博物館。

楚御府印

西漢
江蘇徐州市獅子山楚王墓出土。
銅質。瓦鈕。
御府爲少府屬官，掌管錢帛和各種服具的出納。
現藏江蘇省徐州博物館。

海邑左尉

西漢
江蘇徐州市獅子山楚王墓出土。
銅質。橋鈕。
漢代大縣有縣尉二人，爲左尉、右尉，是縣丞之屬官。
海邑應爲漢代楚國城市。
現藏江蘇省徐州兵馬俑博物館。

長沙丞相

西漢
湖南長沙市馬王堆2號漢墓出土。
銅質鎏金。龜鈕。
爲漢初長沙國丞相用印。漢代規定“千石以下銅印”。
現藏湖南省博物館。

旃郎厨丞

西漢
銅質。蛇鈕。
《漢書・百官公卿表》有詹事，職掌皇后、太子宮中事務。其屬官有厨、厩長丞。另外主爵都尉之屬官也有厨丞。
現藏故宮博物院。

宜春禁丞

西漢

銅質。鼻鈕。

漢高祖時期官印。天子所居，門閣有禁。宜春禁應是皇宮宮門守衛長官之印。

現藏故宮博物院。

彭城丞印

西漢

銅質。蛇鈕。

彭城，今江蘇徐州。漢時爲楚國彭城縣。此爲彭城縣長官之印。

琅左鹽丞

西漢

銅質。蛇鈕。

現藏上海博物館。

裨將軍印

西漢

銅質。龜鈕。

裨將軍爲大將軍屬官，相當于副將軍。

現藏故宮博物院。

浙江都水

西漢

銅質。蛇鈕。

浙江，《説文解字》謂：江水東至會稽山陰，爲浙江。都水爲水衡都尉屬官，此印應爲掌管浙江之水官用印。都水主管渠、堤、水門等事務。

現藏上海博物館。

校尉之印

西漢

銅質。龜鈕。

校尉爲將軍之屬官。

現藏天津博物館。

湘成侯相

西漢

銅質。瓦鈕。

漢武帝時封湘成侯者有二人，一爲匈奴人敞屠洛，一爲監居翁。此印究竟爲二者之誰尚無法確定。

現藏上海博物館。

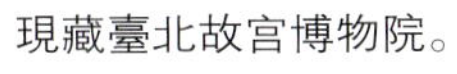

軍司馬印

西漢

銅質。鼻鈕。

軍司馬爲行軍司馬簡稱。大將軍所轄五部，各部置校尉、軍司馬、軍假司馬。

現藏臺北故宫博物院。

假司馬印

西漢

銅質。瓦鈕。

假司馬爲軍假司馬簡稱，爲軍司馬之副貳。

現藏上海博物館。

未央廄丞

西漢

銅質。鼻鈕。

爲漢未央宫馬厩之長官。

現藏故宫博物院。

琅邪尉丞

西漢

銅質。瓦鈕。

琅邪郡，郡治東武（今山東諸城）。尉丞爲郡尉屬官。

現藏上海博物館。

左丞馮翊

西漢

銅質。鼻鈕。

左丞，漢代尚書臺左丞簡稱。掌管吏事和綱紀。

現藏臺北故宫博物院。

成皋丞印

西漢

銅質。瓦鈕。

成皋，今河南滎陽市汜水鎮西。此爲成皋縣丞之印。

現藏天津博物館。

渭成令印

西漢

銅質。瓦鈕。

渭成，或應爲渭城。漢武帝元鼎三年（公元前114年）將咸陽改爲渭城。此應爲渭城長官之印。

現藏故宫博物院。

代郡農長

西漢

銅質。瓦鈕。

農長，漢代大司農屬官。掌一郡之農事。代郡，西漢時轄境相當于今山西省陽高、渾源縣以東，河北省懷安、淶源縣以西的内外長城間地以及内蒙古興和縣等地。

現藏故宫博物院。

横海候印

西漢

銅質。瓦鈕。

候，官名。《漢書・百官公卿表》：中尉、屬國都尉、西域都護屬官均有候。

右苑泉監

西漢

銅質。瓦鈕。

《漢書・百官公卿表》：水衡都尉掌上林苑，武帝初置。右苑泉監應爲其屬官，負責宫苑内的水源。

現藏故宫博物院。

軍曲候印

西漢

銅質。鼻鈕。

現藏故宫博物院。

舞陽丞印

西漢

銅質。 瓦鈕。

舞陽，又作武陽，今河南省舞陽縣西。此爲舞陽縣長官之印。

漁陽右尉

西漢

銅質。瓦鈕。

漁陽郡有漁陽縣，在今北京密雲縣西南。右尉爲縣丞屬官。

始樂單祭尊

西漢

銅質。龜鈕。

漢鄉里官印。單也作“僤”，爲漢代一種民間組織，爲鄉里百姓的自組社團。此類“單”的性質多與養老、敬老有關，也有的似爲志同道合者之組織，類似後世之詩社、畫友會等。

中都護軍章

西漢

銅質。 龜鈕。

將軍印由于在行軍或戰事中急于使用，直接刻鑿而成，稱爲“急就章”。

現藏故宫博物院。

繒丞

西漢

江蘇徐州市北洞山楚王墓出土。

銅質。瓦鈕。

繒爲楚國屬縣，故城在今山東省蒼山縣西北。

現藏江蘇省徐州博物館。

尚浴

西漢

銅質。瓦鈕。

尚浴，尚浴官，司職貴族沐浴。

現藏上海博物館。

厨啬

西漢

銅質。瓦鈕。

啬，即“啬夫”，小吏名稱。厨啬即是掌厨小吏。

現藏上海博物館。

器府

西漢

銅質。瓦鈕。

《周禮》天官有玉府，地官有泉府。器府與之類似，應爲掌管財貨器物之官用印。

現藏陝西歷史博物館。

西立鄉

西漢

銅質。瓦鈕。

《漢書·百官公卿表》：縣下有鄉。十里一亭，十亭一鄉。《後漢書·百官志》：鄉有秩，掌一鄉人，主知民善惡，爲役先後，知民貧富，爲賦多少，平其差品。

現藏上海博物館。

樂鄉

西漢

銅質。 瓦鈕。

現藏天津博物館。

大鴻臚

西漢

銅質。鼻鈕。

《漢書·百官公卿表》：典客，秦官，掌諸歸義蠻夷，武帝太初元年（公元前104年）更名大鴻臚。

上久農長

西漢

銅質。瓦鈕。

現藏故宮博物院。

南執奸印

西漢
銅質。瓦鈕。
《漢書·王莽傳》：天鳳四年（公元17年），“置執法左右刺奸”。則執奸或爲其簡稱，其職能爲巡捕、守衛。
現藏上海博物館。

長沙僕

西漢
石質。鼻鈕。
僕，掌輿馬。爲漢長沙國官名。
現藏湖南省博物館。

天帝神師

西漢
銅質。龜鈕。
此爲道家印。
現藏故宫博物院。

皇帝信璽（封泥）

西漢
爲漢“乘輿六璽”之一，是漢代皇帝的傳國璽。
現藏日本東京國立博物館。

菑川王璽（封泥）

西漢
菑川王爲劉賢，漢齊悼惠王之子，漢文帝十五年（公元前165年）立爲王，漢景帝前元三年（公元前154年）因謀反被除國。
現藏上海博物館。

廣陵相印章（封泥）

西漢

爲廣陵王丞相用印。

現藏上海博物館。

齊御史大夫（封泥）

西漢

齊爲漢諸侯國。 此爲齊國之御史大夫用印。御史大夫，掌糾察百官。

軑侯家丞（封泥）

西漢

軑侯爲漢長沙國丞相，此爲掌管其府邸事務之官用印。

現藏上海博物館。

劉注

西漢

江蘇徐州市龜山楚襄王劉注墓出土。

銀質。龜鈕。

劉注爲西漢楚國第六代王。

現藏江蘇省徐州博物館。

妾莫書

西漢
江蘇揚州市邗江區甘泉鎮老山鄭莊漢墓出土。
銀質。龜鈕。
現藏江蘇省揚州博物館。

利蒼

西漢
湖南長沙市馬王堆2號漢墓出土。
玉質。覆斗鈕。
利蒼爲漢長沙國丞相軑侯之妻。
現藏湖南省博物館。

趙眜

西漢
廣東廣州市象崗山南越王墓出土。
玉質。覆斗鈕。
現藏廣東省廣州南越王墓博物館。

桓啓

西漢
湖南長沙市左家塘出土。
玉質。覆斗鈕。
現藏湖南省博物館。

陳閒

西漢
湖南長沙市左家塘出土。
玉質。覆斗鈕。
現藏湖南省博物館。

周誘

西漢
湖南長沙市黄土嶺出土。
玉質。覆斗鈕。
現藏湖南省博物館。

謝李
西漢
湖南長沙市下大壠出土。
瑪瑙質。覆斗鈕。
現藏湖南省博物館。

陳請士
西漢
水晶質。覆斗鈕。

焦騎君
西漢
銅質。瓦鈕。
現藏天津博物館。

妾徵
西漢
銅質。瓦鈕。
現藏上海博物館。

竇綰兩面印
西漢
河北滿城縣漢墓出土。
銅質。
印文：一爲“竇綰”；一爲“竇君須”。
現藏河北省博物館。

新保塞烏桓耎犂邑率衆侯印
新
金質。龜鈕。
“新”即王莽新朝政權。此爲王莽賜給烏桓人首領之印。“保塞”有爲新保邊以及不侵犯之意。

五威司命領軍

新
陝西鳳翔縣柳林鎮屯頭村出土。
銀質。龜鈕。
新莽始建國元年（公元9年）"置五威司命、中城四關將軍，司命司上公以下，中城主十二城門"。

庶樂則宰印

新
銅質。龜鈕。
王莽實行公、侯、伯、子、男五等爵制，子、男的封地稱"則"。宰爲縣令長。則宰即爲子、男封地之長官。
現藏上海博物館。

設屏農尉章

新
銀質。龜鈕。
設屏，漢之張掖郡，王莽時稱設屏。爲今甘肅張掖地區。農尉爲職掌農事之官，爲郡守屬官。
現藏上海博物館。

水順副貳印

新
銅質。龜鈕。
水順，王莽時稱漢代泗水國爲水順。漢泗水國轄境相當于今江蘇省泗陽縣、淮安市及宿遷市東南部地區。
現藏上海博物館。

大師軍壘壁前和門丞

新
銅質。龜鈕。
《漢書·王莽傳》：王舜死，以其子匡爲太師將軍。此印應爲太師將軍屬官印。
現藏天津博物館。

蒙陰宰之印

新
銅質。龜鈕。
蒙陰縣，漢屬泰山郡，在今山東蒙陰縣西。宰，王莽時改縣令長爲宰。
現藏故宮博物院。

敦德尹曲後候

新

銅質。龜鈕。

敦德，即漢之敦煌郡，王莽時稱敦德。尹，即漢之郡守，王莽改爲大尹。曲後候，即曲候。曲爲漢軍建制之一種，部下有曲，曲置軍候一人。

現藏上海博物館。

常樂蒼龍曲候

新

銅質。龜鈕。

《漢書・王莽傳》：改長樂宮曰常樂室。《後漢書・百官志》：衛尉下有宮掖門，每門司馬一人。北宮門主者爲蒼龍司馬。

現藏故宮博物院。

校尉司馬丞

新

銅質。鼻鈕。

大將軍轄五部，各部置校尉、司馬。丞應爲校尉及司馬之屬官。

現藏故宮博物院。

武威後尉丞

新

銅質。龜鈕。

現藏天津博物館。

康武男家丞

新

銅質。瓦鈕。

現藏故宮博物院。

新成順德單右集之印

新

銅質。瓦鈕。

現藏上海博物館。

新西河左佰長

新

銅質。瓦鈕。

“新”爲“新莽”。佰長爲匈奴之軍隊建制。《漢書·匈奴傳》：諸二十四長亦各自置千長、佰長、什長。

現藏上海博物館。

廣陵王璽

東漢

江蘇揚州市邗江區甘泉2號漢墓出土。

金質。龜鈕。

東漢廣陵王劉荊，建武十七年（公元41年）進爵爲王，建武二十九年（公元53年）自殺死。

現藏南京博物院。

新前胡小長

新

銅質。瓦鈕。

小長，或亦爲匈奴軍隊建制之一。

現藏故宫博物院。

朔寧王太后璽

東漢

陝西寧强縣陽平關出土。

金質。龜鈕。

《後漢書·隗囂傳》：建武七年（公元31年），公孫述以囂爲朔寧王。則此印爲朔寧王太后用璽。

現藏重慶市博物館。

郭尚之印信

新

銅質。獅鈕。

現藏故宫博物院。

偏將軍印章

東漢

重慶江北區出土。

金質。龜鈕。

偏將軍爲大將軍之屬將。

現藏重慶市博物館。

平東將軍章

東漢
金質。龜鈕。
《三國志・魏志》載吕布曾爲平東將軍。《通典・職官》：四平將軍，并漢魏間置。
現藏中國國家博物館。

南陽守丞

東漢
銅質鎏金。鼻鈕。
南陽郡，漢時屬荆州。《後漢書・百官志》："每郡置太守一人，二千石，丞一人。"此印爲南陽郡太守屬官印。
現藏上海博物館。

琅邪相印章

東漢
銀質。龜鈕。
爲東漢琅邪國丞相印。《後漢書・郡國志》載皇子封王，其郡爲國，置相一人。
現藏故宫博物院。

陷陣司馬

東漢
銅質。鼻鈕。
陷陣司馬應是主招募陷陣兵士之長官。
現藏故宫博物院。

崑泠長印

東漢
銅質。鼻鈕。
崑泠，漢時屬交趾郡。
現藏故宫博物院。

葦闈苑監

東漢

銅質。瓦鈕。

現藏上海博物館。

胡仟長印

東漢

銅質。駝鈕。

現藏故宫博物院。

雒陽令印

東漢

銅質。瓦鈕。

洛陽，《後漢書・郡國志》：河南尹下有洛陽。《後漢書・百官志》：萬户以上爲令。

現藏上海博物館。

漢保塞烏桓率衆長

東漢

銅質。駝鈕。

爲東漢頒給烏桓首領之印。

現藏故宫博物院。

别部司馬

東漢

銅質。鼻鈕。

别部司馬爲後將軍屬官。

漢匈奴破虜長

東漢

銅質。駝鈕。

現藏上海博物館。

漢匈奴呼盧訾尸逐

東漢
銅質。駝鈕。
呼盧訾爲人名。尸逐爲匈奴王侯之號。
現藏上海博物館。

千秋樂平單祭尊印

東漢
銅質。 瓦鈕。
祭尊爲鄉里之中主持祭祀之長者。
現藏故宫博物院。

長壽萬年單左平政

東漢
銅質。瓦鈕。
漢鄉里組織用印。“單”爲漢代民間組織之一種，爲鄉里的百姓之自組社團。此印之“長壽萬年單”應爲當時民間爲籌措生老病死費用而自願組成的社團。其負責人稱“平政”。
現藏故宫博物院。

三老舍印

東漢
銅質。壇鈕。
《後漢書・百官志》：鄉置三老。三老掌教化，凡有孝子、順孫、貞女、義婦，讓財救患，及學士爲民法式者，皆扁表其門，以興善行。則此印爲漢鄉里官印。
現藏天津博物館。

郝騂

漢
銅質。杙鈕。
此爲烙馬專用章。
現藏故宫博物院。

倉内作
漢
銅質。鼻鈕。
烙馬專用印。
現藏故宮博物院。

遒侯騎馬
漢
銅質。
烙馬專用印。
現藏上海博物館。

河間王璽（封泥）
漢
現藏上海博物館。

雒陽宮丞（封泥）
漢

西安丞印（封泥）
漢
西安縣丞之印。《漢書・地理志》：西安縣屬齊郡。在今山東桓臺縣東。

齊武庫丞（封泥）

漢

武庫爲兵器之儲藏處。此爲漢齊國武庫長官之印。

東安平丞（封泥）

漢

齊宮司丞（封泥）

漢

顯美里附城（封泥）

漢

《漢書·王莽傳》：居攝三年（公元8年），莽奏請當賜爵爲關内侯者更名曰附城。關内侯無封土，寄食所封縣民租，以户數爲準。

齊郎中丞（封泥）

漢

臣賜（封泥）

漢

武鄉（封泥）

漢

十里一亭，十亭一鄉。鄉設秩，職掌本鄉居民的品德與賦稅情况的考察。

大倉（封泥）

漢

此應爲糧倉之印。

王金

漢

銅質。鼻鈕。

現藏故宫博物院。

李牟

漢

銅質。鼻鈕。

現藏故宫博物院。

楊得

漢

銅質。鼻鈕。

現藏故宫博物院。

牟寬

漢

銅質。鼻鈕。

現藏故宫博物院。

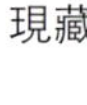

鮭匽

漢

銅質。鼻鈕。

現藏故宮博物院。

長孫寬

漢

銅質。龜鈕。

現藏天津博物館。

王湦私印

漢

銅質。

陳壽

漢

銅質。瓦鈕。

現藏湖南省博物館。

朱聖

漢

銅質。

莊順

漢

銅質。

魏賞

漢

銅質。

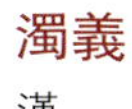

濁義

漢

銅質。

韓衆

漢

銅質。

周竟印

漢

銅質。瓦鈕。

現藏天津博物館。

崔湯

漢

銅質。

王褒印

漢

銅質。

現藏上海博物館。

蘗始光

漢

銅質。橋鈕。

現藏故宮博物院。

丁若延印

漢

銅質。

現藏上海博物館。

曹丞誼

漢

銅質。

柏有遂印

漢

銅質。

司馬敞印

漢

銅質。瓦鈕。

現藏天津博物館。

瑦與光印

漢

銅質。

朱萬歲印

漢

銅質。

牛勝之印

漢

銅質。

楊始樂印

漢

銅質。

陳裒私印

漢

銅質。龜鈕。

現藏故宮博物院。

羽嘉之印

漢

銅質。瓦鈕。

現藏天津博物館。

張九私印

漢

銅質。瓦鈕。

現藏上海博物館。

張壽私印

漢

銅質。

現藏上海博物館。

張反私印

漢

銅質。

左譚私印

漢

銅質。

徐弘私印

漢

銅質。

郅通私印

漢

銅質。

成護印信

漢

銅質。瓦鈕。

現藏故宮博物院。

高鮪之印信

漢
銅質。駝鈕。
現藏故宮博物院。

劉永信印

漢
銅質。獅鈕。
現藏故宮博物院。

周隱印封

漢
銅質。
現藏上海博物館。

彈尉張宫

漢
銅質。

鄧弄

漢
銅質。鼻鈕。
現藏湖南省博物館。

中私府長李封字君游

漢
銅質。龜鈕。
現藏上海博物館。

横野大將軍莫府卒史張林印

漢

銅質。

史少齒

漢

銅質。魚鈕。

現藏故宫博物院。

雍元君印願君自發封完言信

漢

銅質。

巨雍千萬

漢

銅質。

現藏上海博物館。

趙詡三十字印

漢

銅質。瓦鈕。

印文爲“趙詡子産印信福禄進曰以前乘浮雲上華山飤玉英飲禮泉服名藥就神仙”。

現藏天津博物館。

周黨

漢

玉質。覆斗鈕。

現藏上海博物館。

魏嫽

漢

玉質。覆斗鈕。

現藏上海博物館。

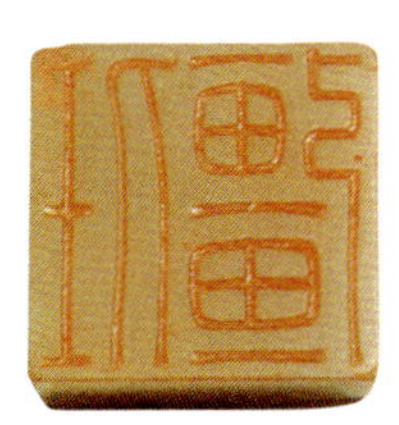

任彊

漢

玉質。覆斗鈕。

現藏故宮博物院。

魏霸

漢

玉質。覆斗鈕。

現藏上海博物館。

碭臞

漢

玉質。覆斗鈕。

現藏故宮博物院。

朱偃

漢

玉質。覆斗鈕。

現藏天津博物館。

壽佗
漢
玉質。覆斗鈕。
現藏上海博物館。

賈夷吾
漢
玉質。
現藏上海博物館。

菓繚
漢
玉質。覆斗鈕。
現藏天津博物館。

趙嬰隋
漢
玉質。
現藏故宫博物院。

趙安
漢
玉質。

陽成嬰
漢
玉質。覆斗鈕。
現藏天津博物館。

公孫秦

漢

玉質。

吕章信印

漢

玉質。龜鈕。

現藏上海博物館。

蘇冰私印

漢

玉質。

現藏上海博物館。

隗長

漢

白晶石質。覆斗鈕。

現藏上海博物館。

蘇循信印

漢

玉質。鼻鈕。

現藏上海博物館。

妾嬛

漢

瑪瑙質。覆斗鈕。

現藏湖南省長沙市博物館。

馮子之印

漢

銅質。

祝郃

漢

銅質。

張奉侯印

漢

銅質。

鄭勝之

漢

銅質。

楊長卿

漢

銅質。橛鈕。

現藏故宮博物院。

巨趙大萬

漢

銅質。

巨董千萬

漢

銅質。

巨蔡千萬

漢

銅質。柱鈕。

現藏上海博物館。

趙吴人

漢

銅質。

公孫郚印

漢

銅質。龜鈕。

現藏上海博物館。

楊遂成印

漢

銅質。

蘇敬仁印
漢
銅質。

黃聖之印
漢
銅質。

祁萬歲印
漢
銅質。

張猛
漢
銅質。

公乘沮印
漢
銅質。

田傑君
漢
銅質。

杜子沙印

漢

銅質。

春秋戰國時期，在青銅器上出現了一種筆畫盤曲并兩端作蟲鳥狀的文字，稱“蟲鳥文”，爲一種裝飾字體。漢代以這種文字入印，稱“繆篆印”。

現藏故宫博物院。

李豐私印

漢

銅質。辟邪鈕。

現藏上海博物館。

馬級私印

漢

銅質。瓦鈕。

現藏上海博物館。

潘剛私印

漢

銅質。瓦鈕。

現藏上海博物館。

方爲私印

漢

銅質。龜鈕。

現藏故宫博物院。

尚普私印字子良

漢

銅質。

楊玉

漢

玉質。覆斗鈕。

現藏天津博物館。

辟彊

漢

玉質。覆斗鈕。

現藏上海博物館。

蘇意

漢

玉質。覆斗鈕。

現藏故宫博物院。

曹巽

漢

玉質。覆斗鈕。

現藏湖南省長沙市博物館。

椄治

漢

玉質。覆斗鈕。

現藏上海博物館。

欒犀

漢
玉質。覆斗鈕。
現藏上海博物館。

薄戎奴

漢
玉質。覆斗鈕。
現藏故宮博物院。

脣棠里

漢
玉質。

婕伃妾娋

漢
玉質。雁鈕。
現藏故宮博物院。

武意

漢
白晶石質。覆斗鈕。
現藏上海博物館。

祭睢

漢
琉璃質。覆斗鈕。
現藏故宫博物院。

趙多

漢
銅質。瓦鈕。
現藏故宫博物院。

樊委

漢
銅質。橋鈕。
姓名印加圖案紋樣的，稱爲“四靈印”。圖案多爲動物紋。
現藏中國社會科學院考古研究所。

張春

漢
銅質。

閔喜

漢
銅質。鼻鈕。
現藏故宫博物院。

弁弘之印

漢
銅質。龜鈕。
現藏故宫博物院。

王遂

漢

銅質。瓦鈕。

現藏上海博物館。

徐成郃徐仁

漢

銅質。瓦鈕。

現藏故宫博物院。

焦木

漢

銅質。

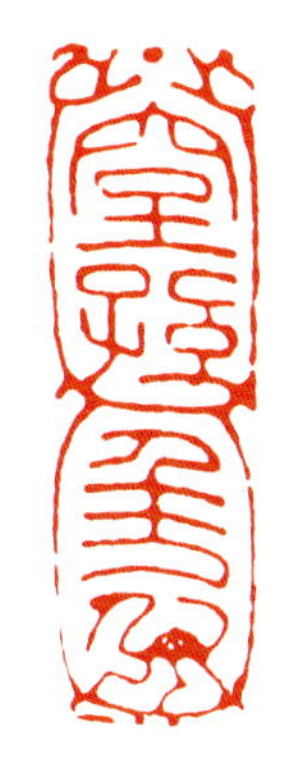

衺孫千萬

漢

銅質。

趙虞兩面印

漢

銅質。

印文：一爲“趙虞”；一爲“脩君”。

姚勝兩面印

漢

銅質。

印文：一爲“姚勝”；一爲“真信”。

郭得之兩面印

漢

銅質。

印文：一爲“郭得之”；一爲“郭兄”。

楊則兩面印

漢

銅質。

印文：一爲“楊則”；一爲“楊少卿”。

現藏上海博物館。

張鯀兩面印

漢

陝西寶鷄市古陳倉遺址出土。

象牙質。

印文：一爲“張鯀印信”；一爲“張鯀言事”。

石得兩面印

漢

銅質。

印文：一爲“石得”；一爲“石翁”。

現藏天津博物館。

常光兩面印

漢

銅質。

印文：一爲“常光”；一爲“出利”。

韓距兩面印

漢

銅質。

印文：一爲“韓距”；一爲“臣距”。

田長卿兩面印

漢

銅質。

印文：一爲“田長卿印”；一爲“田破石子”。

現藏故宫博物院。

朱聚兩面印

漢

銅質。

印文：一爲“朱聚”；一爲“朱長孺”。

現藏上海博物館。

吕惠夫兩面印

漢

銅質。

印文：一爲“吕惠夫印”；一爲朱雀紋肖形印。

虞長賓兩面印

漢

銅質。

印文：一爲“虞長賓”；一爲“虞古月”。

現藏故宫博物院。

長利兩面印

漢

銅質。

印文：一爲“長利”；一爲雙人肖形印。

徐尊五面印

漢

銅質。瓦鈕。

印文爲“徐尊”，另四面爲四神生肖印。

現藏故宫博物院。

張懿兩套印

漢

銅質。辟邪鈕。

印文：一爲“張懿印信”；一爲“鉅鹿下曲陽張懿仲然”。

現藏故宫博物院。

藉賜兩套印

漢

銅質。

印文：一爲“藉賜私印”；一爲“藉子房印”。

套印又稱子母印，是大印中套小印的組印。所鑄獸鈕，一般大印爲母獸狀，小印爲子獸狀。

現藏上海博物館。

楊武兩套印

漢

銅質。虎鈕，瓦鈕。

印文：一爲“楊武私印”；一爲“楊子方印”。

現藏上海博物館。

韓袞兩套印

漢

銅質。

印文：一爲“韓袞印信”；一爲“韓袞”。

日利

漢

銅質。

現藏上海博物館。

張君憲兩套印

漢

銅質。龜鈕，瓦鈕。

印文：一爲“張君憲印”；一爲“張捐之印”。

現藏故宮博物院。

日利

漢

銅質。

趙松三套印

漢

銅質。

印文：一爲“趙松印信”；一爲“趙松”；一爲“白方”。

宜子孫

漢

銅質。

常利

漢

銅質。

新成日利

漢

銅質。

出入日利

漢

銅質。瓦鈕。

現藏天津博物館。

長生不老

漢

銅質。龜鈕。

現藏天津博物館。

天帝煞鬼之印

漢

銅質。鼻鈕。

現藏天津博物館。

“大富貴昌”十六字印

漢

銅質。龜鈕。

印文爲“大富貴昌宜爲侯王千秋萬歲常樂未央”。

現藏天津博物館。

“綏統承祖”二十字印

漢

銅質。

印文爲“綏統承祖子孫慈仁永葆二親福禄未央萬歲無疆”。

人虎紋肖形印

漢

銅質。

現藏上海博物館。

雙人紋肖形印

漢

銅質。

現藏上海博物館。

虎紋肖形印

漢

銅質。

現藏上海博物館。

搏擊紋肖形印

漢

銅質。

虎紋肖形印

漢

銅質。

朱雀紋肖形印

漢

銅質。

現藏上海博物館。

奔獸紋肖形印

漢

銅質。

現藏上海博物館。

駝紋肖形印

漢

銅質。

奔鹿紋肖形印

漢

銅質。

四燕紋肖形印

漢

銅質。

現藏上海博物館。

門闕紋肖形印

漢

銅質。

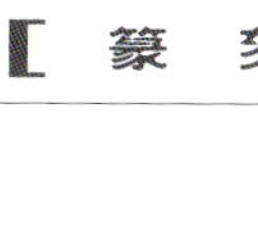

關中侯印

三國・魏
河南南陽市石橋鎮出土。
金質。龜鈕。
現藏河南博物院。

虎牙將軍章

三國・魏
銀質。龜鈕。
《三國志・魏志・公孫瓚傳》：瓚敗自殺，鮮于輔將其衆。文帝踐阼，拜輔虎牙將軍。
現藏上海博物館。

武猛校尉

三國・魏
銀質。龜鈕。
《三國志・吴志・潘璋傳》：“（潘璋）遷豫章西安長……比縣建昌起爲賊亂，轉領建昌，加武猛校尉。”又《三國志・魏志・齊王芳傳》：“（正始四年）詔祀故……武猛校尉典韋于太祖廟庭。”校尉爲武職。
現藏河南省洛陽市文物工作隊。

振威將軍章

三國・魏
銀質。龜鈕。
《三國志・魏志・程昱傳》：“頃之，昱遷振威將軍。”
現藏上海博物館。

關内侯印

三國・魏
銅質鎏金。龜鈕。
爲當時一種榮譽封號，稱“侯”但并無實際權力。
現藏故宫博物院。

建春門候

三國・魏
銅質。鼻鈕。
門候爲城門長官。《晋書・地理志・河南郡》：洛陽東有建春、東陽、清明三門。《通典・晋官品》：城門候屬第七品。
現藏上海博物館。

魏率善羌佰長

三國・魏
銅質。駝鈕。
此爲曹魏頒給羌之印。
現藏天津博物館。

關外侯印

三國・魏
銅質。龜鈕。
爲榮譽封號。《三國志・魏志・武帝紀》"裴注"引《魏書》曰：又置關内外侯十六級。
現藏故宫博物院。

魏烏丸率善佰長

三國・魏
銅質。駝鈕。
烏丸有千夫長、佰夫長相統領。佰長即爲佰夫長。此爲曹魏頒給烏丸首領之印。
現藏上海博物館。

巧工司馬

三國・吴
銅質。鼻鈕。
巧工司馬應爲主造作之官。
現藏故宫博物院。

輔國司馬

三國・魏
銅質。鼻鈕。
《三國志・魏志・文帝紀》"裴注"有輔國將軍。輔國司馬可能爲輔國將軍之屬官。
現藏天津博物館。

叟陷陣司馬

三國・蜀
銅質。
現藏上海博物館。

馮泰
三國
銅質。

晉歸義羌侯
西晉
傳甘肅西和縣出土。
金質。駝鈕。
現藏甘肅省博物館。

晉歸義氐王
西晉
金質。駝鈕。
氐爲魏晉時期北方少數民族。此爲西晉頒給氐族首領的印章。西晉時氐族主要散居在西北及四川地區。
現藏上海博物館。

關中侯印
東晉
江蘇南京市直瀆山出土。
金質。龜鈕。
現藏江蘇省南京市博物館。

關内侯印

晋
銅質鎏金。龜鈕。
現藏上海博物館。

開陽亭侯

晋
銅質鎏金。龜鈕。
《晋書·衛瓘傳》：“封（瓘）弟實開陽亭侯。”

武猛校尉

晋
銅質。龜鈕。
現藏故宫博物院。

關内侯印

晋
銅質鎏金。龜鈕。
現藏上海博物館。

武猛都尉

晋
銅質。龜鈕。
都尉爲武官。
現藏故宫博物院。

鄴宫監印

晋

銅質。鼻鈕。

鄴，今河北臨漳縣西。兩晋南北朝時屬于北方十六國後趙石氏政權。《晋書·石勒載記》：“（勒）令少府任汪、都水使者張漸等監營鄴宫。”此印應爲負責鄴宫營建的官吏用印。

現藏故宫博物院。

常山學官令印

晋

銅質。瓦鈕。

《魏書·地形志》：常山郡屬定州。即今河北正定一帶。學官，漢魏以下至唐宋，州郡置文學掾，或稱學官，爲掌管一郡官府學校之官吏。

現藏天津博物館。

渭陽邸閣督印

晋

銅質。鼻鈕。

邸閣之名見于漢末魏晋時期，乃是聚軍糧之所。邸閣督爲邸閣之長官。

現藏故宫博物院。

晋率善胡仟長

晋

銅質。駝鈕。

《晋書》記載北狄有十九種，史稱爲“雜胡”。此類晋胡印大多是賜予此類雜胡大人之印。

現藏上海博物館。

晋鮮卑率善佰長

晋

銅質。駝鈕。

此爲賜給鮮卑之官印。

現藏上海博物館。

晋高句驪率善佰長

晋

銅質。馬鈕。

高句驪，東北少數民族政權，今朝鮮族前身。主要分布于吉林以及朝鮮半島。此爲西晋賜給高句驪之官印。

現藏中國國家博物館。

常騎

晋

銅質。杙鈕。

爲烙馬印。

現藏上海博物館。

零陵太守章

晋

石質。龜鈕。

西漢元鼎六年（公元前111年）置零陵郡。郡治在零陵（今廣西全州縣西南），轄境相當于今湖南、廣西之一部分。

顔綝六面印

晋

江蘇南京市老虎山出土。

銅質。

印文分别爲“顔綝”、“顔文和”、“臣綝”、“顔綝白事”、“顔綝白牋”和“白記”。六面印大多在小印的左右側打孔，可穿帶而佩，爲書簡印，是書信往來時證明自己持信人身份的用印。多用“白事”、“言事”等文字。

現藏江蘇省南京市博物館。

氾肇六面印

晉

銅質。

印文分别爲“氾肇”、“氾季超”、“氾肇白事”、“氾肇言事”、“臣肇”和“氾肇”。

現藏天津博物館。

菅納六面印

晉

銅質。

印文分别爲“宜成令印”、“臣納”、“納言疏”、“菅納白事”、“菅納白牋”和“印完”。

現藏故宫博物院。

劉龍三套印

晉

銅質。

一爲“劉龍印信”，辟邪鈕；一爲“劉龍”，辟邪鈕；一爲“順承”，瓦鈕。

現藏故宫博物院。

祝遵三套印

晋

銅質。

一爲“祝遵印信”，辟邪鈕；一爲“祝遵”，辟邪鈕；一爲“漢輔”，鼻鈕。

現藏上海博物館。

馬穆印信

晋

銅質。獅鈕。

原爲套印，子印已失。

現藏天津博物館。

狄宣印信

晋

銅質。

范立印信

晋

銅質。

右賢王印

十六國・北漢

銅質鎏金。駝鈕。

《晋書・劉聰載記》：“（父）元海爲北單于，立爲右賢王。”

現藏故宫博物院。

歸趙侯印

十六國・後趙
銅質。馬鈕。
爲後趙石氏政權官印。前後趙政權的“親趙侯印”、“歸趙侯印”等，應該都是賜給歸附其政權之人的官印，具有榮譽稱號性質。
現藏故宫博物院。

建武將軍章

十六國・後凉
銅質。龜鈕。
《晋書・劉元海載記》：“元海遣其建武將軍劉曜寇太原。”

材官將軍章

十六國・南凉
銅質。龜鈕。
《北史・魏本紀》：“（天興）三年春正月戊午，材官將軍和突破盧溥于遼西，獲之。”《宋書・百官志》：“材官將軍一人……主工匠土木之事……隸尚書起部及領軍。”西漢、東漢均置有材官將軍。
現藏天津博物館。

雁門太守章

十六國・前秦
銅質。
《後漢書・郡國志》：雁門郡屬并州。雁門郡轄境相當于今山西及内蒙古一部。郡治在今山西代縣西北。
現藏上海博物館。

且氏護軍司馬印

南朝
銅質。龜鈕。
《後漢書・傅燮傳》：“（傅燮）爲護軍司馬，與左中郎將皇甫嵩俱討賊張角。”
現藏天津博物館。

巴陵子相之印

南朝
銅質。
《宋書・州郡志》：巴陵屬郢州。巴陵子相即巴陵太守。郡治在今湖南岳陽。南朝劉宋時設有“子相”、“男相”，爲郡守名稱。
現藏上海博物館。

宣威將軍印

南朝
銅質。龜鈕。
《周書・梁御傳》：“御少好學……（爾朱天光）引爲左右……授宣威將軍。”
現藏上海博物館。

天元皇太后璽

北周
陝西咸陽市渭城區底張鎮北周孝陵出土。
金質。獬豸鈕。
天元皇太后是北周武帝宇文邕的武德皇后，合葬孝陵。
現藏陝西省咸陽博物館。

西都子章

北朝

銅質鎏金。龜鈕。

現藏上海博物館。

驢驤將軍

北朝

銅質。龜鈕。

《周書・馮遷傳》："從太祖擒竇泰，復弘農，戰漢苑，皆有功。授都督、龍驤將軍、羽林監。"

現藏上海博物館。

盪寇將軍印

北朝

銅質。龜鈕。

《周書・盧辯傳》中所述六官有盪寇、盪難將軍，右三品。

現藏上海博物館。

常山太守章

北朝

銅質。龜鈕。

常山郡屬定州，即今河北正定一帶。

現藏上海博物館。

秀容行事印

北朝

銅質。

"行事"，爲"行府州事"或"行州事"之省稱。通常由都督府上佐官承擔，爲皇帝用以對封疆大吏特察的職務。《宋書・晋平剌王休祐傳》："上以休祐貪虐不可莅民，留之京邑，遣上佐行府州事。"

現藏上海博物館。

永興郡印

隋

銅質。

永興郡，北周武帝時改晋昌郡置，郡治在凉興縣（今甘肅瓜州縣東），屬瓜州。此爲永興郡官署印。隋朝在官印名稱上廢止前朝的“章”字稱謂而保留“印”字。稱印者都爲縣以上高、中級官署及官吏用印。隋代開始，官署印大量出現，進入了官署印與官名印并行時期，成爲後世官印的基本制度。

觀陽縣印

隋

銅質。瓦鈕。

觀陽縣，古縣名。西漢時置，治在今山東省海陽市西北。北周廢，隋開皇十六年（公元596年）又置，屬牟州，大業初屬東萊郡。隋唐官印在形制上徹底改變了秦漢印系統的方寸陰文的印式，而改爲陽文大印。這一時期官印邊長多在5厘米上下。由于印體大，已不宜于佩帶，印放于官府保管，因而印鈕形式也相應發生變化，漢印系統普遍使用的鼻鈕至唐代完全廢止，改爲長孔環鈕及無孔橛鈕。

現藏天津博物館。

廣納戍印

隋

銅質。

廣納，古縣名，唐武德三年（公元620年）置，治在今四川省通江縣南。此印亦有釋爲“廣納府印”。

右武衛右十八車騎印

隋

銅質。

中書省之印

唐

銅質。橛鈕。

唐時中央設三省：尚書省、中書省、門下省。主政事。三省長官爲宰相。

現藏故宫博物院。

唐安縣之印

唐

銅質。鼻鈕。

唐安縣，唐先天元年（公元712年）以唐隆縣改名，治今四川省崇州市東南江源鎮，屬蜀州。

現藏故宫博物院。

尚書兵部之印

唐

銅質。

尚書省下設六部：吏、户、禮、兵、刑、工。此爲兵部官署印。

頣州之印

唐

銅質。

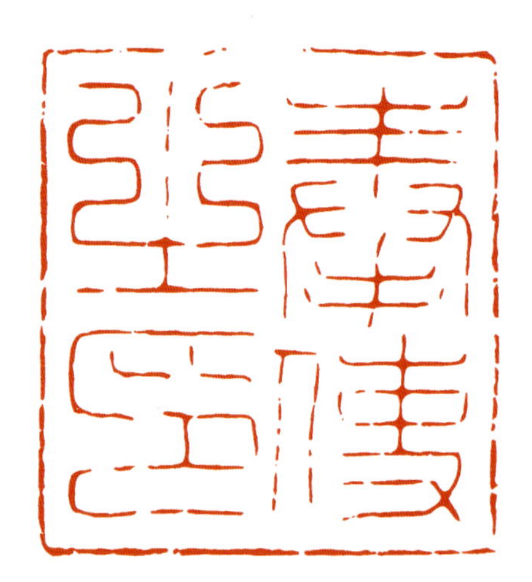

奉使之印

唐

銅質。

奉使，宋章如愚《群書考索・後集》卷二二《漢官》："司隸、刺史稱奉使。"

齊王國司印

唐

銅質。橋鈕。

現藏上海博物館。

遂州武信軍節度使印

唐

銅質。

遂州，北周閔帝元年（公元557年）置，治方義縣（今四川遂寧市）。武信軍，唐五代方鎮名。唐乾寧四年（公元897年）置，治遂州，領遂、合、昌、渝、瀘五州。節度使爲方鎮長官。此爲官名印。

都亭新驛朱記

唐

銅質。

隋唐時官印出現"朱記"、"記"的稱謂，這種稱謂屬于縣級僚屬或相當于縣僚屬的低級機構和官吏的用印，與稱"印"的官印爲當時官印上的一種上下等級制度。"亭"、"驛"均爲低級的官僚，職掌郵傳迎送等事。現藏上海博物館。

端居室

唐

玉質。 明人摹刻。

齋館印始于唐代。此印相傳爲唐相李泌的齋館印。

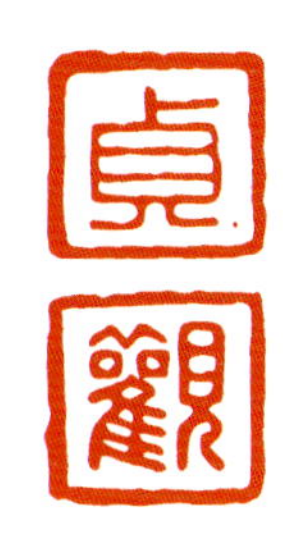

貞觀

唐

明人摹刻。

鑒藏印始于唐代，主要鈐押于内府所藏書畫上。

洞山墨君

唐

銅質。

現藏上海博物館。

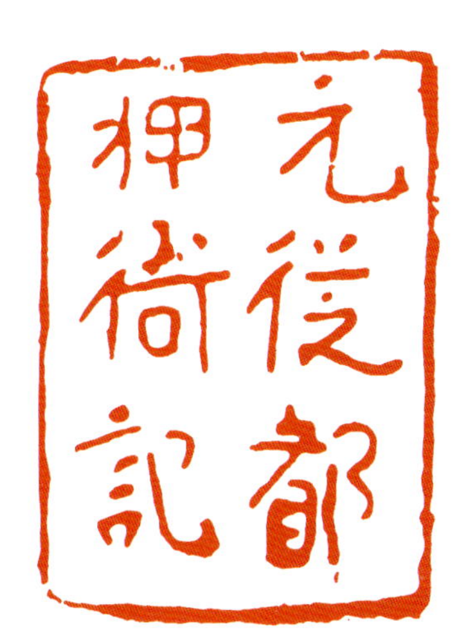

元從都押衙記

五代十國

銅質。

《舊五代史・劉鄩傳》：天復三年（公元903年）十一月，劉鄩以兖州降梁，“及將謁見，太祖令賜冠帶……旋授元從都押牙。”

都檢點兼宰城朱記

五代十國

銅質。

現藏上海博物館。

右策寧州留後朱記

五代十國
銅質。橛鈕。
唐代左右神策軍各設大將軍一人。“右策”或爲右神策軍之省稱。寧州地在今甘肅省。“留後”或爲該部留守後方之部。
現藏故宮博物院。

建業文房之印

五代十國
銅質。
傳懷素《自叙帖》中鈐蓋的南唐收藏印。有學者考證此印應爲北宋人摹刻。

清河圖書

五代十國
銅質。

三界寺藏經

五代十國
銅質。

安州綾錦院記

遼

銅質。橛鈕。

安州，遼置，治今遼寧省昌圖縣北四面城。綾錦院專掌禁中及皇家的婚娶衣着之製作，屬少府監。遼仿照漢字創製契丹文，其印有漢文製也有契丹文製。

現藏故宫博物院。

啓聖軍節度使之印

遼

銅質。

開龍寺記

遼

銅質。

清安軍節度使之印

遼

銅質。

《遼史・地理志》：“景州清安軍下刺史，本薊州遵化縣。”

契丹文官印

遼

銅質。

印文爲契丹大字。

契丹文官印

遼

銅質。

印文爲契丹大字。

契丹文私印

遼

銅質。

伏

遼

銅質。人形鈕。

現藏上海博物館。

中書門下之印

宋

銅質。

唐宋時宰相治事之所政事堂别稱“中書門下”。又南宋建炎三年（公元1129年）中書省、門下省合而爲一，簡稱“中書門下”。

勾當公事之印

宋

銅質。

《宋史·職官志·秘書省》："天禧初，令以三館爲額，置檢討、校勘等員。……以内侍二人爲勾當官，通掌三館圖籍事。"《宋會要輯稿·職官》："天禧五年十二月，命内殿崇班皇甫繼明同勾當三館秘書閣公事。"《金史·百官志·户部》："（架閣庫）勾當官五員，正八品。"

鷹坊之印

宋

銅質。

宜州管下羈縻都黎縣印

宋

銅質。

都黎縣，古縣名，北宋崇寧中置，治今廣西壯族自治區巴馬瑶族自治縣西北。

現藏上海博物館。

平定縣印

宋

銅質。橛鈕。

平定縣，北宋太平興國二年（公元977年）于廣陽置平定軍，四年改廣陽縣爲平定縣（今山西平定縣）。

現藏上海博物館。

拱聖下七都虞候朱記

宋

銅質。橛鈕。

都虞候，《宋史·職官志》六《殿前司》："都指揮使、副都指揮使、都虞候各一人，掌殿前諸班直及步、騎諸指揮之名籍。"都虞候爲唐後期置，爲軍中執法之長官。

現藏上海博物館。

馳防指揮使記

宋

銅質。橛鈕。

現藏上海博物館。

左天威軍第四指揮第三都記

宋

銅質。

上蔡縣尉朱記

宋

銅質。

上蔡，今河南上蔡縣。

將領軍馬朱記

宋
銅質。

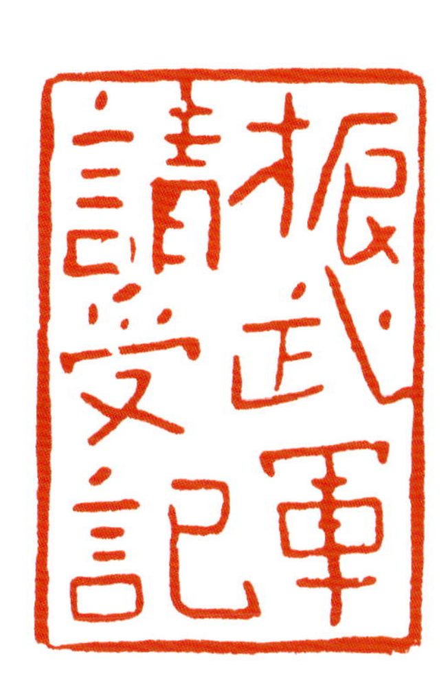

振武軍請受記

宋
銅質。橛鈕。
振武軍，方鎮名。唐景龍二年（公元708年）置，治東受降城（今内蒙古托克托縣西南），後移朔州（今山西）。
現藏天津博物館。

蕃漢都指揮記

宋
銅質。
現藏天津博物館。

壽光鎮記

宋
銅質。橛鈕。
壽光，今屬山東。
現藏上海博物館。

內府圖書之印

宋

銅質。

北宋時皇家書畫收藏印。

上清北陰院印

宋

銅質。

內府書印

宋

銅質。

壹貫背合同

宋

銅質。

此爲南宋時鈐蓋于紙幣背面的印章。

御書
宋

機暇珍賞
宋

真閣
宋

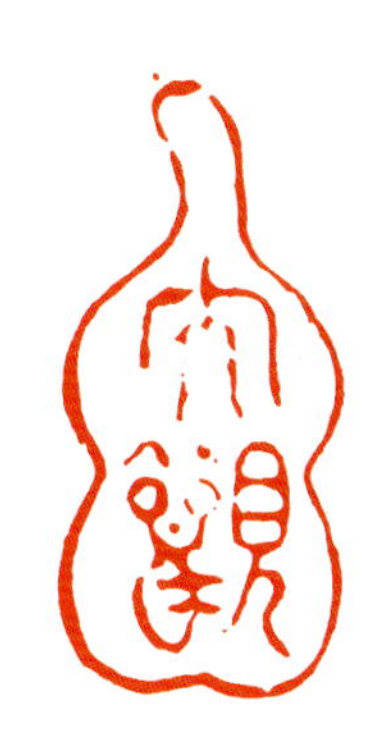

大觀
宋
宋徽宗印。

御書
宋
宋徽宗用印。爲“宣和七璽”之一。

政和
宋
宋徽宗用印。爲“宣和七璽”之一。

宣和

宋

宋徽宗用印。爲“宣和七璽”之一。

宣和

宋

宋徽宗用印。爲“宣和七璽”之一。

紹興

宋

宋高宗趙構用印。

紹興

宋

紹興

宋

宣和中秘

宋

御書
宋

御書之寶
宋

奉華堂印
宋

獨樂園
宋
此選爲政治家司馬光用印。

蘇軾之印
宋
銅質。
此選爲文學家蘇軾用印。
從北宋開始，書畫家在作品上鈐押書畫款印。

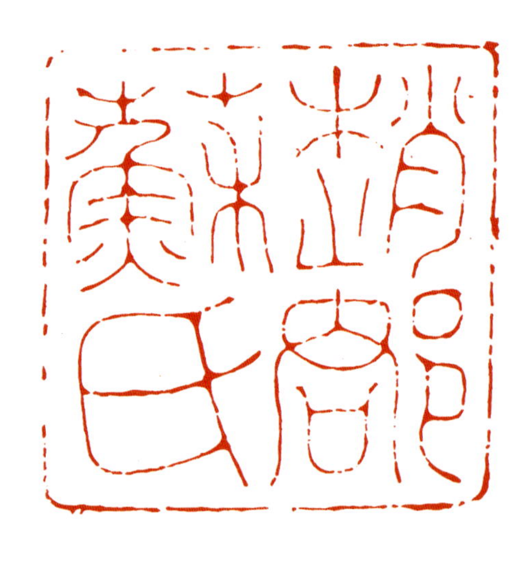

趙郡蘇氏

宋

此選爲文學家蘇軾用印。

讀書堂記

宋

此選爲文學家蘇軾用印。

楚國米芾

宋

此選爲書畫家米芾用印。

米芾往往在一幅書畫作品中使用數印，爲北宋使用書畫款印的代表人物。

米姓之印

宋

此選爲書畫家米芾用印。

米芾之印

宋

此選爲書畫家米芾用印。

楚國米姓

宋

此選爲書畫家米芾用印。

米芾之印

宋

此選爲書畫家米芾用印。

米芾元章之印

宋

此選爲書畫家米芾用印。

趙明誠印章

宋

銅質。

此選爲金石學家趙明誠用印。

雲壑書印

宋

銅質。

此選爲書法家吴琚用印。

山陰始封

宋

銅質。

此選爲文學家陸游用印。

秋壑珍玩

宋

銅質。

此選爲宰相賈似道用印。

彝齋

宋

此選爲書畫家趙孟堅用印。

秋壑

宋

此選爲宰相賈似道用印。

周公菫父

宋

此選爲文學家周密用印。

子固

宋

此選爲書畫家趙孟堅用印。

嘉遯貞吉

宋

此選爲文學家周密用印。

桂軒
宋
此選爲刊書家劉叔剛用印。

禿山
宋
此選爲畫家梁禿山用印。

上明圖書
宋
銅質。
現藏上海博物館。

一經堂
宋

樂安逢堯私記
宋
銅質。
現藏上海博物館。

張氏安道
宋
銅質。

盧逌
宋
銅質。

金粟山藏經紙
宋
銅質。

索
宋
銅質。
現藏上海博物館。

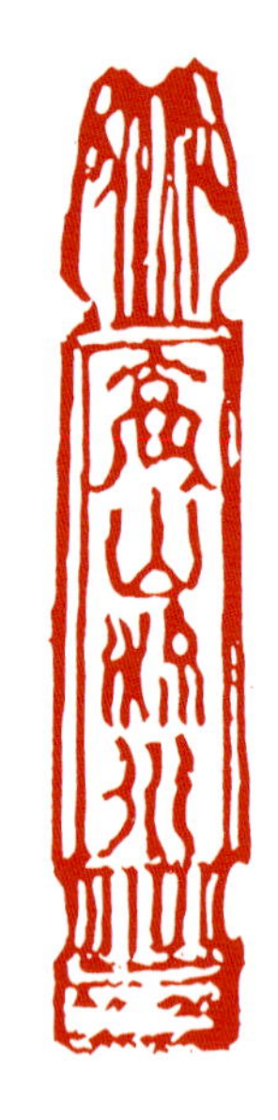

高山流水
宋
銅質。
宋代開始出現詞語印，詞語印是後世篆刻家的主要印文內容。

信物同至
宋
瓷質。

合同
宋
瓷質。

柯山野叟

宋

瓷質。

現藏上海博物館。

雙龍肖形印

宋

銅質。

宋徽宗用印。

西夏文“首領”

西夏

銅質。橛鈕。

“首領”是西夏各級軍事將領及地方行政長官之通稱。西夏仿照漢字創製西夏文，西夏官印均爲陰文，與宋印有别。

現藏故宫博物院。

西夏文“首領磨璧”

西夏

銅質。

西夏文“迺訛庚印”
西夏
銅質。

西夏文“千”
西夏

西夏文“首領”
西夏
銅質。

拏里渾河猛安之印
金
銅質。
猛安，猛安謀克制原是女真人在氏族社會末期的部落組織，是以血緣爲紐帶建立起來的。其組織按什伍進位編製，因此有伍長、什長、百夫長、千夫長。猛安爲千夫長，謀克爲百夫長。最初是單純的出獵組織，後來變成平時出獵，戰時同戰的組織。
現藏吉林省博物院。

拽撻懶河猛安之印

金

銅質。

撒土渾謀克印

金

銅質。橛鈕。

現藏吉林省博物院。

北京樓店巡記

金

銅質。橛鈕。

現藏上海博物館。

越王府文學印

金

銅質。

現藏上海博物館。

西戴陽村酒務之記

金

銅質。

道家印

金

銅質。

桓術火倉之記

金

銅質。

青霞子記

金

牛角質。

龍山道人

金

牛角質。

謹

金

内史府

元

銅質。

内史，京官。《漢書·百官公卿表》："内史，周官，秦因之，掌治京師。"宋時中書省别稱内史。

清河郡

元

銅質。鼻鈕。

清河郡，西漢置，治今河北清河縣南。

現藏上海博物館。

益都路管軍千户建字號之印

元

銅質。橛鈕。

元以益都府改稱益都路，治在益都縣（今山東青州），屬山東東西道宣慰司。管軍，北宋時爲三衙長官及上四軍都指揮使總名，金時爲路總管司都總管、同知都總管、副都總管等總稱，明時千户所正千户、副千户中掌印、僉書理本所軍政事者總稱"管軍"。

現藏上海博物館。

經筵講官

元

玉質。

經筵官爲爲皇帝講解經史的官員，如侍講、侍讀、翰林侍講學士等等。

現藏上海博物館。

趙氏書印

元

此選爲書畫家趙孟頫用印。

趙孟頫著有《印史序》，明確提出印章要學習漢魏之美，對文人印的發展有很大影響。

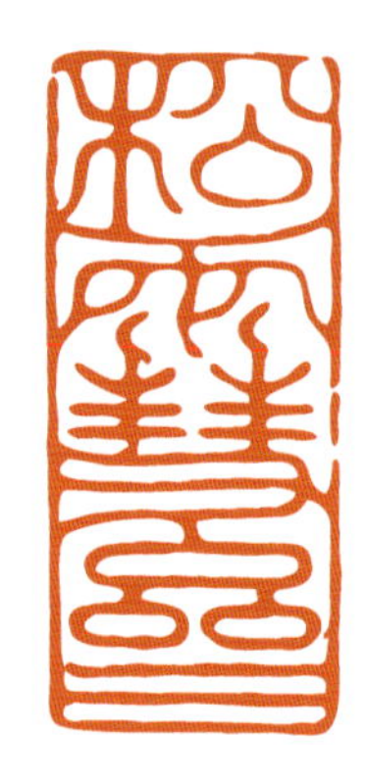

松雪齋

元

此選爲書畫家趙孟頫用印。

吾衍私印

元

此選爲書法家吾丘衍用印。

吾丘衍爲一位篆書書法家，著有《三十五舉》，研究漢魏印文字和章法等，開印論之先。

布衣道士

元

此選爲書法家吾丘衍用印。

王冕（公元1287–1359年）

諸暨（今屬浙江）人。字元章，號煮石山農、飯牛翁、會稽外史、竹齋生、梅花屋主等。畫工墨梅，擅竹石，兼能刻印。創以花乳石作印材。

竹齋圖書
元
王冕

姬姓子孫
元
王冕

柯氏出姬姓吴仲雍四世曰柯相之裔孫
元
此選爲文學家柯九思用印。

訓忠之家
元
此選爲文學家柯九思用印。

朱氏澤民
元
此選爲書畫家朱德潤用印。

吴叡（公元1298–1355年）

錢塘（今浙江杭州）人。字孟思，號雪濤散人。吾丘衍弟子。工翰墨，尤精篆隸。所篆印章白文用漢法，朱文以元朱文法，皆端莊典雅。著有《吴孟思印譜》。

漢陽
元
吴叡

黃鶴樵者
元
此選爲畫家王蒙用印。

雲濤軒
元
吴叡

魯詹
元
此選爲畫家趙嚴用印。

漢廣平侯之孫
元
吴叡

野雪道者
元
此選爲書法家良琦用印。

春

元

元代的人名印用押印替代是元代私印中十分流行的現象，這是因爲元代少數民族人士更多地參與政治和社會經濟活動中，作爲交流的信物，印章的文字和形式也有了變化。元押印有漢楷押印、花押印、圖像押印和八思巴文押印等。

許

元

雋

元

商

元

蕚瓚

元

王（押）

元

銅質。

現藏上海博物館。

孟（押）
元

韓貴（押）
元

商七（押）
元

佛像（押）
元

河東柳氏
元

羊紋（押）
元

文 彭（公元1498－1573年）

長洲（今江蘇蘇州）人。文徵明長子，字壽丞，號三橋。他的篆刻影響極大，開流派藝術印章之先河。師宗文氏而著名的篆刻家有李流芳、歸昌世和陳萬言等，成爲著名的“吴門派”。

七十二峰深處
明
文彭
現藏上海博物館。

文彭
明
文彭

文彭之印
明
文彭

文彭之印
明
文彭

三橋居士
明
文彭

琴罷倚松玩鶴

明

文彭

現藏浙江省杭州市西泠印社。

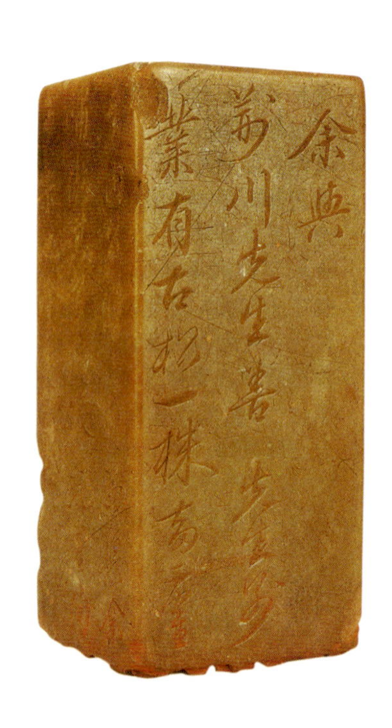

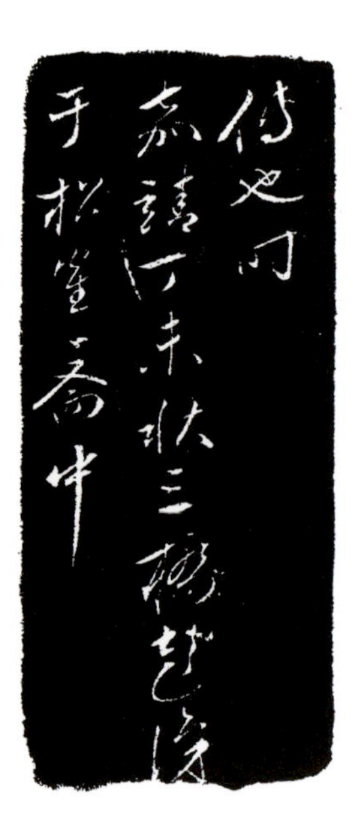

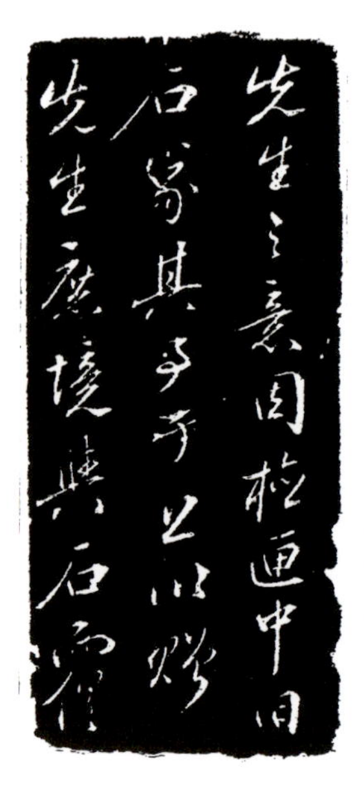

文 嘉（公元1501－1583年）

長洲（今江蘇蘇州）人。字休承，號文水。文徵明次子，文彭之弟。善繪畫，山水學文徵明，工篆刻。

文氏休承
明
文嘉

文嘉
明
文嘉

桃隖
明
文嘉

王穀祥（公元1501－1568年）

長洲（今江蘇蘇州）人。字禄之，號酉室。嘉靖八年（公元1529年）進士，官至吏部員外郎。書畫爲時人推崇，亦擅長篆刻。

王禄之印
明
王穀祥

堅白齋
明
王穀祥

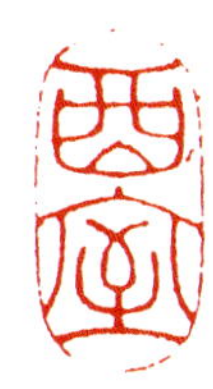

酉室
明
王穀祥

何震

生卒年不詳，活動于明嘉靖至萬曆年間（公元1522－1620年）。婺源（今屬江西）人。字主臣。一字長卿，亦稱雪漁。以篆刻擅名。宗法秦漢古璽，與文彭相善，并稱“文何”。傳世印譜有多種，最著名的爲《忍草堂印選》。

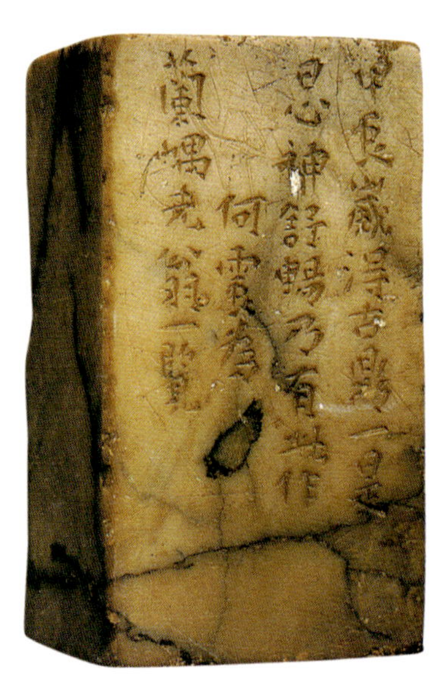

笑談間氣吐霓虹
明
何震
現藏上海博物館。

程守之印
明
何震

無功氏
明
何震

青松白雲處
明
何震

蘭雪堂
明
何震

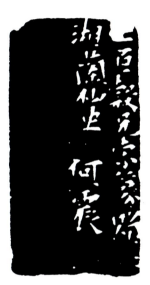

聽鸝深處

明

何震

現藏浙江省杭州市西泠印社。

延賞樓印

明

何震

秦淮卧雪

明

何震

君王縱跡散雲壑借巢夷

明

何震

吴良止

生卒年不詳，活動于明嘉靖和萬曆年間（公元1522－1620年）。休寧（今屬安徽）人。字仲足，號未央，又號丘隅。工篆刻。

采真堂印

明

吴良止

現藏上海博物館。

魏植（公元1552－？年）

莆田（今屬福建）人。字楚山，一字伯建。篆刻工整隽逸，章法、刀法穩健。

滴露研硃點周易
明
魏植

三十六峰長周旋
明
魏植

葉原

生卒年不詳，活動于明萬曆年間（公元1573－1620年）。新都（今四川成都）人。善篆刻。

壬辰進士
明
葉原
現藏上海博物館。

沈野

生卒年不詳，活動于明萬曆年間（公元1573－1620年）。吴縣（今江蘇蘇州）人。字從先。工詩，有印癖，著有《印談》。

琴樽長若斯
明
沈野

吴 忠

生卒年不詳，活動于明萬曆年間（公元1573－1620年）。歙縣（今屬安徽）人。字孟貞。師從何震，印章恪守師法。

劉守典印
明
吴忠

午龍氏
明
吴忠

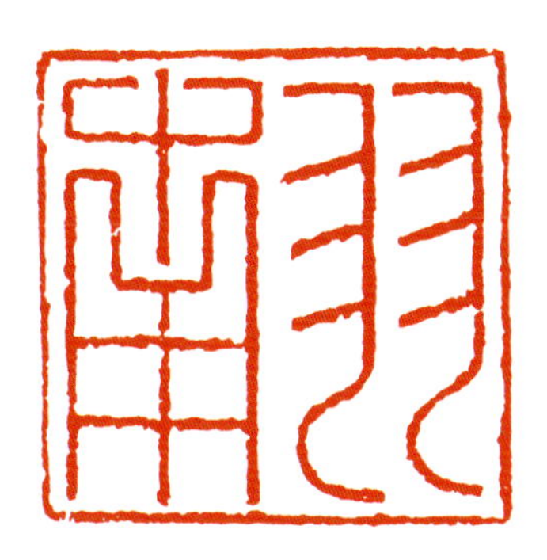

羽南
明
吴忠

蘇 宣（公元1553－約1626年）

歙縣（今屬安徽）人。字爾宣，又字嘯民，號泗水。與文彭和何震鼎足而三，稱爲"泗水派"。有《蘇氏印略》傳世。

蘇宣之印
明
蘇宣

流風回雪
明
蘇宣

漢留侯裔
明
蘇宣

江東步兵
明
蘇宣

游方之外
明
蘇宣

深得酒仙三昧
明
蘇宣
現藏上海博物館。

我思古人實獲我心
明
蘇宣
現藏上海博物館。

原溪草堂
明
蘇宣

陳繼儒印
明
蘇宣

醉月樓
明
蘇宣

吴 迴（公元1555－1636年）

歙縣（今屬安徽）人。字亦步。印宗何震，深得其法。

同心而離居
明
吴迴

長蘅父
明
蘇宣

何藻之印
明
吴迴

處無位以聊生
明
吴迥

最是有情癡
明
吴迥

趙宧光（公元1559－1625年）

太倉（今屬江蘇）人，寓居吴縣（今江蘇蘇州）寒山。字凡夫，號廣平，自號寒山長。其篆刻宗秦漢印及古璽，形神俱佳。著有《寒山帚談》。

寒山
明
趙宧光

戚歐
明
趙宧光

鄭市
明
趙宧光

關中侯印
明
趙宧光

王賢私印
明
趙宧光

孫坤
明
趙宧光

程 遠

生卒年不詳，活動于明萬曆年間（公元1573－1620年）。無錫（今屬江蘇）人。字彦明。嘗摹刻秦漢印及明代著名印人佳作，成《古今印則》四册行世。

承清館
明
程遠

文彭之印
明
程遠

甘 暘

生卒年不詳，活動于明萬曆年間（公元1573－1620年）。江寧（今江蘇南京）人。字旭甫，號寅東。精研篆刻。著有《甘氏印正》、《集古印譜》和《印正附説》等。

曾鯨之印
明
甘暘

朱完之印
明
甘暘

金文華印
明
甘暘

興安令印
明
甘暘

梁士斗印
明
甘暘

龍驤之印
明
甘暘

東海喬拱璧穀侯父印
明
甘暘
現藏上海博物館。

璩之璞

生卒年不詳。原籍江西，客居華亭（今上海松江）。字仲玉，號君瑕、荆卿等。善畫翎毛及水墨花卉，精于篆刻。

璩之璞印
明
璩之璞

無名之璞
明
璩之璞

金光先

生卒年不詳，活動于明萬曆年間（公元1573－1620年）。休寧（今屬安徽）人。字一甫。著有《金一甫印選》二卷。

祝世禄印
明
金光先

孫賜
明
金光先

痛飲讀離騷
明
金光先

鄧裘私印
明
金光先

朱　簡

生卒年不詳，活動于明萬曆、天啓年間（公元1573－1627年）。休寧（今屬安徽）人。字修能，號畸臣，後改名聞。工詩，精篆刻。著有《印書》、《菌閣藏印》、《修能印譜》等書。

程嘉遂印
明
朱簡

王穉登印
明
朱簡

米萬鍾印
明
朱簡

汪道昆印
明
朱簡

龍友
明
朱簡

南羽
明
朱簡

歸昌世（公元1573－1644年）

昆山（今屬江蘇）人。字文休，號假庵。歸有光之孫。書法晋唐，善草書。有印癖，其印講究經營位置，形神兼備。

大歡喜
明
歸昌世

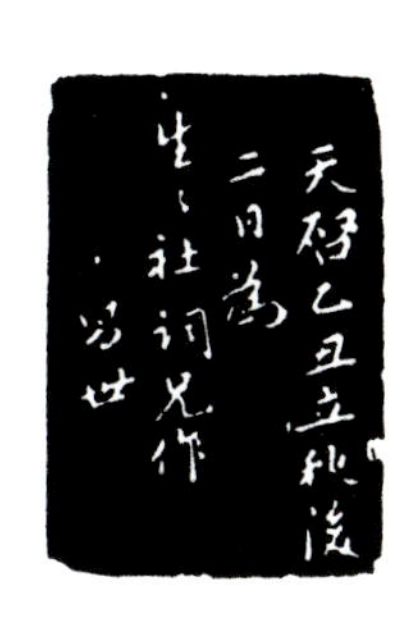

負雅志於高雲
明
歸昌世
現藏浙江省杭州市西泠印社。

白晝筆頭詩泣神
明
歸昌世

張灝之印
明
歸昌世

空名適自誤
明
歸昌世

氣煩則慮亂視邕則志滯
明
歸昌世

李流芳（公元1575－1629年）

歙縣（今屬安徽）人，寓居嘉定（今屬上海）。字長蘅，一字茂宰，號檀園、泡庵、慎娱居士等。工詩，擅書畫和篆刻。著有《檀園集》。

李流芳印
明
李流芳

落拓未逢天子呼
明
李流芳

陳元素

生卒年不詳。長洲（今江蘇蘇州）人。字古白。精詩文，書法清勁，又擅篆刻。

陳金剛印
明
陳元素

素翁
明
陳元素

汪　關

生卒年不詳。活動于明萬曆年間（公元1573－1620年）。歙縣（今屬安徽）人，寓居太倉（今屬江蘇）。原名東陽，字杲叔，更字尹子。著有《寶印齋印式》二卷。

汪關私印
明
汪關

子孫非我有委蛻而已矣

明

汪關

現藏上海博物館。

程孝直

明

汪關

朱譚之印

明

汪關

長州婁氏

明

汪關

婁堅之印

明

汪關

聽鸝深處
明
汪關

麋公
明
汪關

顧氏府文
明
汪關

慎娱先生
明
汪關

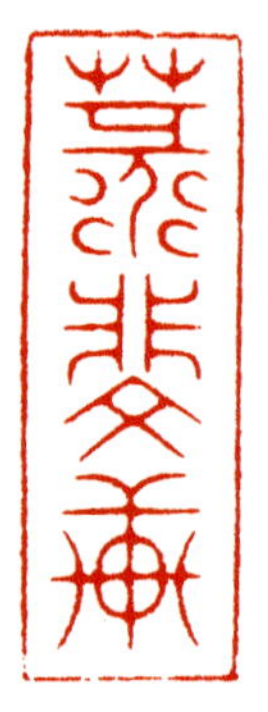

菉斐軒
明
汪關

嘉遂
明
汪關

松圓道人
明
汪關

梁　袠（公元？–約1637年）

揚州（今屬江蘇）人，寓居金陵（今江蘇南京）。字千秋。爲何震入室弟子。著有《印雋》。

青松白雲處
明
梁袠

小山樓
明
梁袠

何可一日無此君
明
梁袠

何震
明
梁袠

玄州道人
明
梁袠

梁 年

生卒年不詳，活動于明萬曆年間（公元1573－1620年）。揚州（今屬江蘇）人。字大年。擅篆刻。

食筍齋
明
梁年
現藏浙江省杭州市西泠印社。

邵 潜（公元1581－1655年）

通州（治今江蘇南通）人。字潜夫，號五岳外臣。工詩，兼擅篆刻，印風多宗何震。著有自刻印譜《皇明印史》四册。

文徵明印
明
邵潜

趙宧光印
明
邵潜

沈周之印
明
邵潜

胡正言（公元1584－1674年）

休寧（今屬安徽）人。字曰從。工翰墨，精篆刻。有《葉竹齋印存》和《胡氏篆草》問世。

字公静
明
胡正言

筆禪墨韵
明
胡正言

栖神静樂
明
胡正言

響雪岩
明
胡正言

顧景獨醉
明
胡正言

何　通

生卒年不詳。太倉（今屬江蘇）人。字不違，一字不韋。印風類似蘇宣。有自刻印譜《十竹齋印存》問世。

詞人多膽氣
明
何通

王章之印
明
何通

諸葛亮印
明
何通

王維之印
明
何通

談其徵

生卒年不詳。鎮江（今屬江蘇）人。字元素，又字維仲，號種樹老人。居鎮江山別墅，篆刻有名。

努力加餐飯
明
談其徵

蘇 肇

生卒年不詳。歙縣（今屬安徽）人。

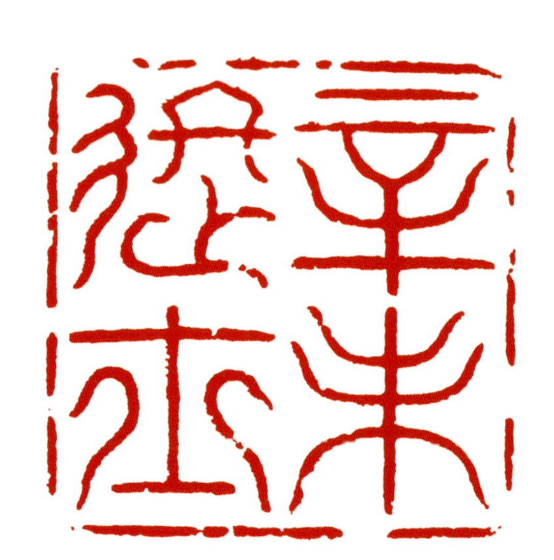

辛未進士
明
蘇肇

徐東彥

生卒年不詳。嘉興（今屬浙江）人。字聖臣，號檀庵道人。篆刻宗蘇宣。有自刻印譜《徐氏石簡》問世。

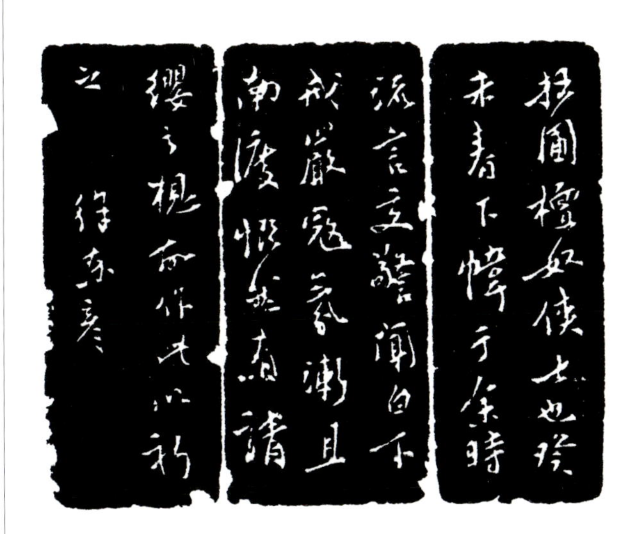

妓逢紅拂客遇虬髯

明

徐東彥

顧聽

生卒年不詳，活動于明末清初。吴縣（今江蘇蘇州）人。舊名不因，字元方，一字元芳。工篆刻，所作得漢人旨趣。

卜遠私印

明

顧聽

現藏上海朵雲軒。

江皜臣

生卒年不詳，活動于明末清初。歙縣（今屬安徽）人，一作婺源（今屬江西）人。字濯之，號漢臣。善刻晶玉印，用刀取勢自然。著有《江皜臣印譜》。

吕惟延印

明

江皜臣

現藏上海博物館。

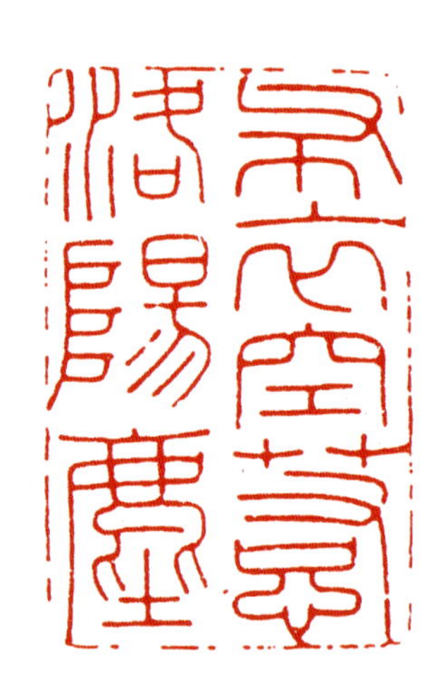

布衣空惹洛陽塵
明
江皜臣

汪泓

生卒年不詳，活動于明末清初。歙縣（今屬安徽）人。字宏度，汪關之子。篆刻得其家法，能自出新意。

江湖滿地一漁翁
明
汪泓

持論太高天動色
明
汪泓

半潭秋水一房山
明
汪泓

翻嫌四皓曾多事
明
汪泓

漁隱
明
汪泓

日長惟鳥雀春遠獨柴荆
明
汪泓

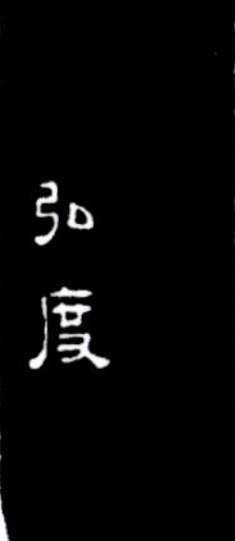

古照堂
明
汪泓
現藏上海博物館。

丁元公

生卒年不詳，活動于明末清初。嘉興（今屬浙江）人。字原躬，明亡後出家爲僧，法名净伊，字願庵。篆刻宗秦漢印，富有變化。

三餘堂 隨菴兩面印
明
丁元公
印文：一爲“三餘堂”；一爲“隨菴”。
現藏上海博物館。

沈民則

明

此選爲書法家沈度用印。

染翰餘閒

明

此選爲書法家徐有貞用印。

永樂第一科進士

明

此選爲書法家羅亨信用印。

西涯

明

此選爲文學家李東陽用印。

仲昭

明

此選爲畫家夏㫤用印。

吴郡

明

此選爲書畫家唐寅用印。

六如居士

明

此選爲書畫家唐寅用印。

衡山

明

此選爲書畫家文徵明用印。

徵仲父

明

此選爲書畫家文徵明用印。

豐氏人季

明

此選爲書法家豐坊用印。

己龍癸虎

明

此選爲書法家豐坊用印。

錢穀

明

此選爲書畫家錢穀用印。

白洋山人

明

此選爲評論家吴紬用印。

墨林秘玩

明

此選爲收藏家項元汴用印。

文長

明

此選爲書畫家徐渭用印。

神品

明

此選爲收藏家項元汴用印。

子京父印

明

此選爲收藏家項元汴用印。

孫克弘允執雪居書畫記

明

此選爲書畫家孫克弘用印。

讀蜺堂印

明

此選爲書法家王穉登用印。

柿葉軒

明

此選爲書法家陳繼儒用印。

穉登

明

此選爲書法家王穉登用印。

雪堂

明

此選爲書法家陳繼儒用印。

畫禪

明

此選爲書畫家董其昌用印。

石癖

明

此選爲書畫家米萬鍾用印。

程 邃（公元1605－1691年）

歙縣（今屬安徽）人。字穆倩，一字朽民，號垢區，又號垢道人、青溪朽民、江東布衣等。明清之際著名的篆刻家，"皖派"的開創者之一。

一身詩酒債千里水雲情

清

程邃

少壯三好音律書酒

清

程邃

徐旭齡印

清

程邃

現藏上海博物館。

竹籬茅舍
清
程邃

修桐軒
清
程邃

谷口農
清
程邃
現藏上海博物館。

文士英

生卒年不詳，活動于明末清初。上元（今江蘇南京）人。字及先，别署白華老人。篆刻從師金光先，布局靈活，别有風格。

鳶飛魚躍
清
文士英

戴本孝（公元1621－1691年）

休寧（今屬安徽）人。字務旃，號鷹阿山樵、前休子等。印章章法工穩，刀法精深。有《前生集》和《餘生集》傳世。

鷹阿山樵
清
戴本孝

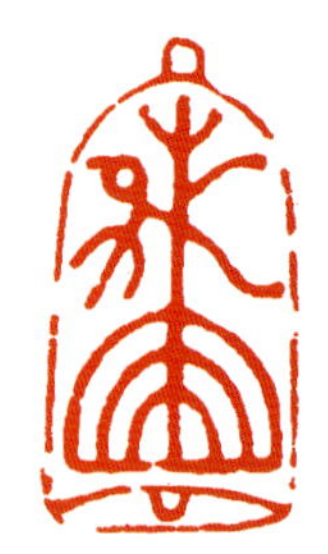

冒襄八面印

清

戴本孝

印文爲“冒襄”、“辟疆氏”、“小三吾鑑藏”、“冒襄辟疆私印”、“巢民”、“鳳楼鐸形”、“真賞”、“忍辱忘怨”。

現藏上海博物館。

吴　晋

生卒年不詳，活動于清初。莆田(今屬福建）人。字平子。善繪墨蘭，工篆刻。

學陶

清

吴晋

現藏上海博物館。

愧能

清

吴晋

丁良卯

生卒年不詳，活動于明末清初。錢塘（今浙江杭州）人。字秋平，號秋室，别署月居士。篆刻宗法何震蒼勁一路，益以秀雅見勝。

餐英館

清

丁良卯

現藏上海博物館。

笑書唐字

清

丁良卯

顧　苓

生卒年不詳，活動于清順治康熙年間（公元1644－1722年）。吴縣（今江蘇蘇州）人。字雲美，號濁齋居士。工詩文，精鑒别金石碑版。篆刻法秦漢，旁參宋元朱文。

楓落吴江冷

清

顧苓

傳是樓

清

顧苓

許　容

生卒年不詳，活動于清康熙年間（公元1662－1722年）。如皋（今屬江蘇）人。字實夫，號默公，又號遇道人。清康熙二十二年（公元1683年）官福州府檢校。詩文書畫皆能，尤精篆刻，宗法漢印。

月落江横數峰天遠

清

許容

若耶溪上人家

清

許容

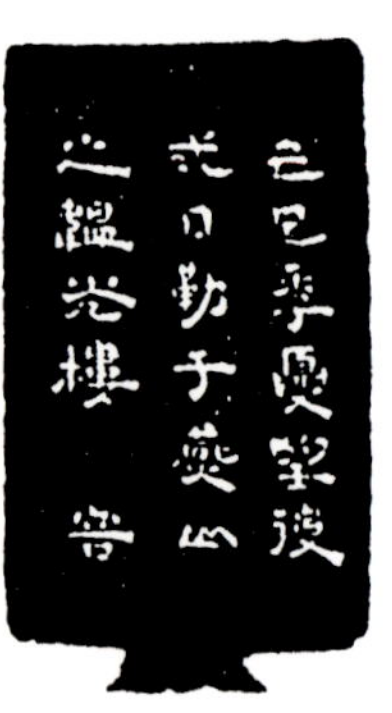

小長蘆釣魚師

清

許容

錢　楨

生卒年不詳，活動于清康熙年間（公元1662－1722年）。字寧園。篆刻工整纖巧。著有《能爾齋印譜》四册六卷。

宋人燕石周客胡盧

清

錢楨

天若有情天亦老
清
錢楨

萬古不解天公心
清
錢楨

俞廷諤

生卒年不詳，活動于清康熙年間（公元1662－1722年）。嘉興（今屬浙江）人。字夔千，號蔡軒，又號眇狂。

黄金倘散盡誰識信陵君
清
俞廷諤

吴先聲

生卒年不詳，活動于清康熙年間（公元1662－1722年）。江陵（治今湖北荆州）人。字寶存，號孟亭，又號石岑。印風有秀逸氣。

多情懷酒伴餘事作詩人
清
吴先聲

項道瑋

生卒年不詳，活動于清康熙年間（公元1662－1722年）。歙縣（今屬安徽）人。字魯青。擅繪畫和篆刻。

深村有酒隔烟渚共乘小艇穿蘆花
清
項道瑋

石　濤（約公元1641－1707年）

全州（今屬廣西）人。俗姓朱，名若極。幼年出家，法名原濟，號石濤、苦瓜和尚、瞎尊者、清湘陳人、西方之民、大滌子、零丁老人等。印章初法程邃，後師漢印，以意爲之，爲“徽派”早期印人之一。

清湘石濤
清
石濤

瞎尊者
清
石濤

臣僧原濟
清
石濤

若極
清
石濤

童昌齡（約公元1650－？年）

義烏（今屬浙江）人，旅居如皋（今屬江蘇）。字鹿游。篆刻宗法如皋派，印文多古意。著有《史印》和《韵言篆略》等。

柴門老樹村

清

童昌齡

張在辛（公元1651－1738年）

安丘（今屬山東）人。字卯君，號白庭、柏庭等，别號隱厚道者。篆刻工穩嚴謹。輯有《望華樓印彙》，著有《漢隸奇字》等。

安丘張在辛印

清

張在辛

金粟如來是後身

清

張在辛

不爲無益之事何以説有涯之生

清

張在辛

家在揮金故里

清

張在辛

布鼓雷門
清
張在辛

張在辛印
清
張在辛

林　皋（公元1658－？年）

莆田（今屬福建）人。字鶴田，更字學恬。所作印章結構工穩，虛實得當。著有《寶硯齋印譜》。

林皋之印
清
林皋

杏花春雨江南
清
林皋

莆陽鶴田林皋之印
清
林皋

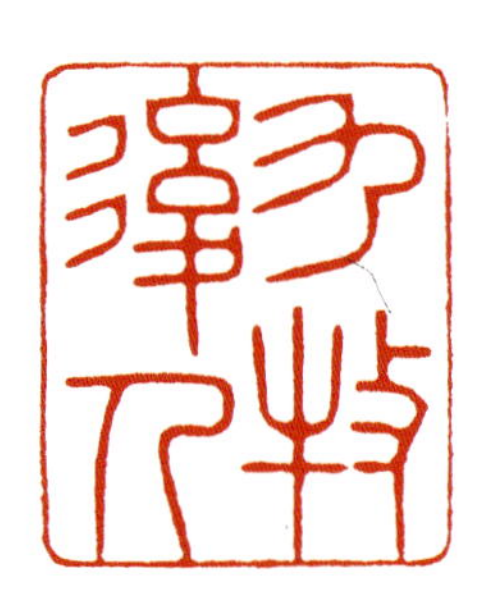

九牧後人
清
林皋

三杯耎飽後一枕黑甜餘
清
林皋

風流儒雅亦吾師
清
林皋

碧梧翠竹山房
清
林皋

衣白山人
清
林皋

諸緣忘盡未忘詩
清
林皋

王睿章（公元1666－1763年）

奉賢（今屬上海）人。字貞六，一字曾麓，號雪岑，別署雪岑翁。師從張智錫，以治印爲生。自輯有《花影集印譜》。

淑慎爾德
清
王睿章

供香鬻茗點綴詩人情裏景

清

王睿章

高鳳翰（公元1683－1748年）

膠州（今屬山東）人，曾長期生活在揚州（今屬江蘇）一帶。字西園，號南村，晚年右手因病而廢，改號半亭、尚左、廢道人、丁巳殘人、天祿外史、石頭老子、南阜老人等。爲“八怪四鳳”印派的中堅人物，對後世影響很大。

左臂

清

高鳳翰

丁巳殘人

清

高鳳翰

山東書生

清

高鳳翰

松籟閣印

清

高鳳翰

古臨海軍人

清

高鳳翰

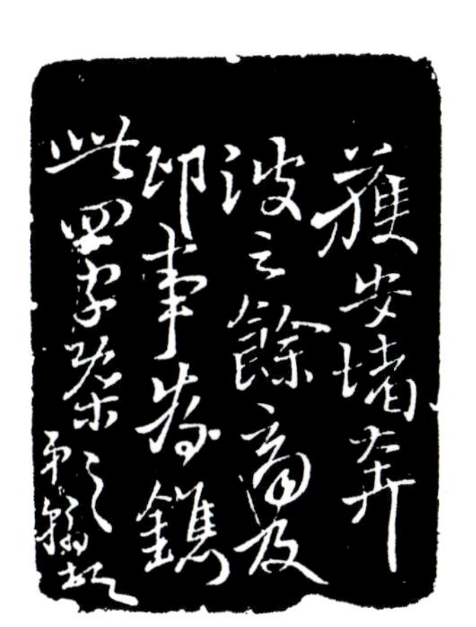

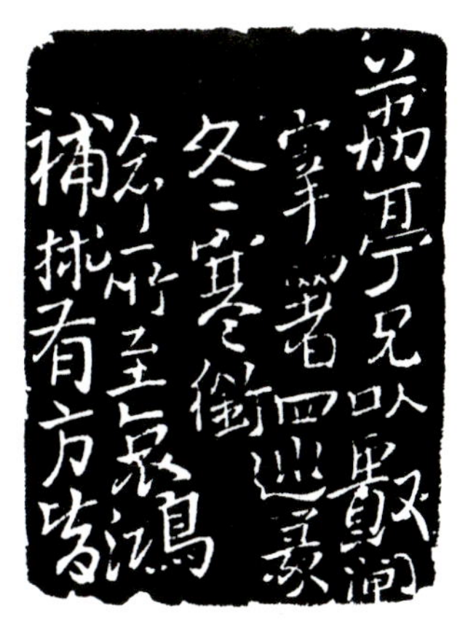

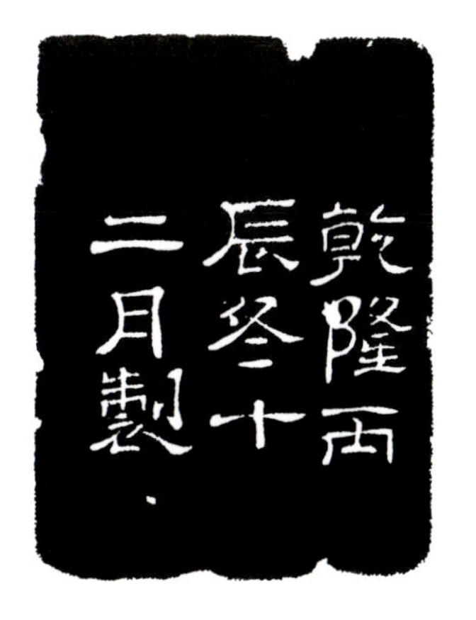

雪鴻亭長

清

高鳳翰

現藏上海博物館。

家在齊魯之間
清
高鳳翰

花爲四壁船爲家
清
沈鳳

沈　鳳（公元1685－1755年）

江陰（今屬江蘇）人。字凡民，號補蘿、凡翁、謙齋等。長于金石篆刻，爲“四鳳派”早期印人。有《謙齋印譜》二卷傳世。

沈鳳私印
清
沈鳳

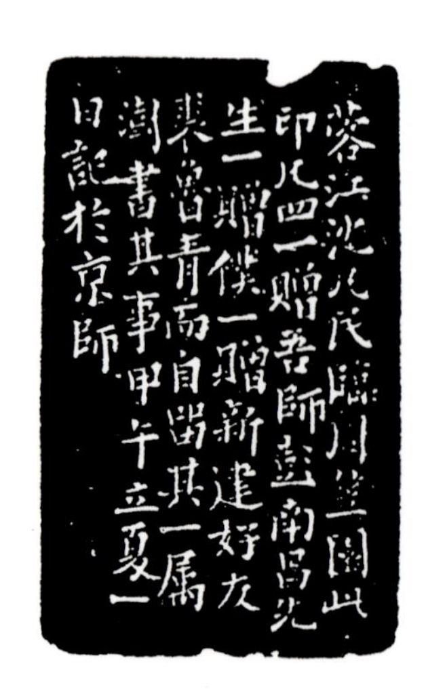

鳳印
清
沈鳳

紙窗竹屋燈火青熒
清
沈鳳

汪士慎（公元1686－1756年）

休寧（今屬安徽）人，一作歙縣（今屬安徽）人，寓居揚州（今屬江蘇）。單名慎，字近人，號阿慎、巢林、溪東外史、晚春老人等。“揚州八怪”之一。印章師法漢印，兼取小篆入印，與丁敬和高翔齊名。亦工詩，有《巢林詩集》傳世。

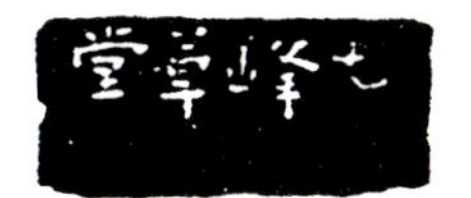

七峰草堂
清
汪士慎

一生心事爲花忙
清
汪士慎

高　翔（公元1688－1753年）

甘泉（今江蘇揚州）人。字鳳岡，號樨堂、西堂等。詩書畫皆精，于印一道，爲程邃和石濤傳人，其印工穩精深。

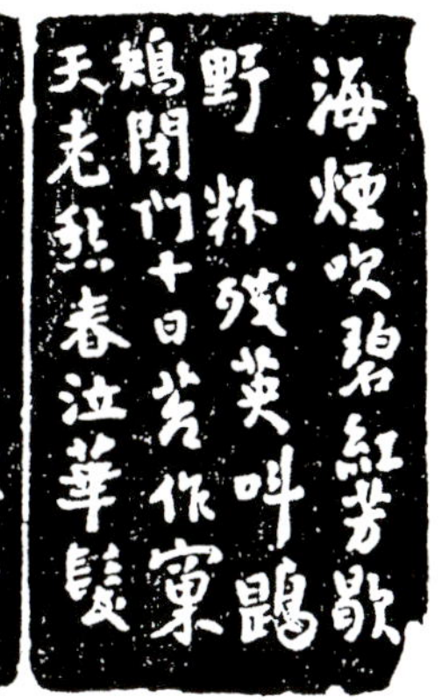

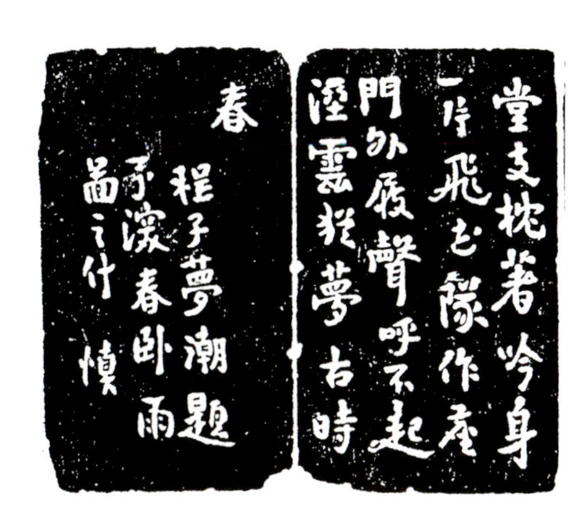

七峰居士
清
高翔

蔬香果綠之軒
清
高翔
現藏上海博物館。

先憂事者後樂事
清
高翔

意思蕭散
清
高翔

鄭　燮（公元1693－1765年）

興化（今屬江蘇）人。字克柔，號板橋。爲“揚州八怪”主力畫家。于印一道，師法程邃和石濤。有《板橋先生印》（又稱《四鳳樓印譜》）和《板橋全集》傳世。

以天得古
清
鄭燮

樗散
清
鄭燮

書畫悅心情

清

鄭燮

丁　敬（公元1695－1765年）

錢塘（今浙江杭州）人。字敬身，號鈍丁，又號龍泓山人、研林外史等。爲“浙派”、“西泠八家”之首。著有《武林金石録》等。

敬身

清

丁敬

現藏上海博物館。

玉几翁

清

丁敬

石泉

清

丁敬

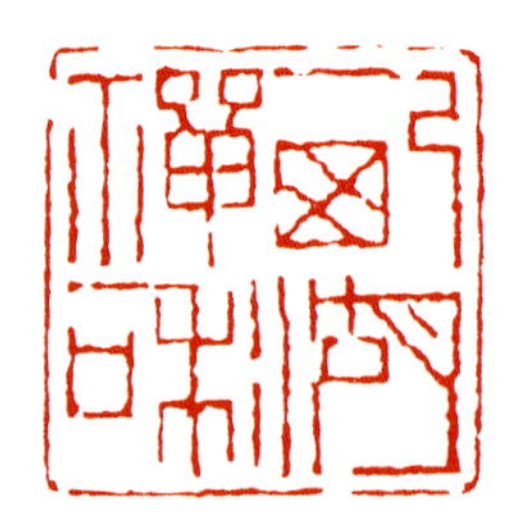

聖因大恒和尚予方外契心之友廿三
石來予家刻遲數年久未有以應之
也重公索直會我佛元下日霽催吾
兩人相視莫逆可因作此西湖禪和四
字印贈之它日有續西湖高僧書

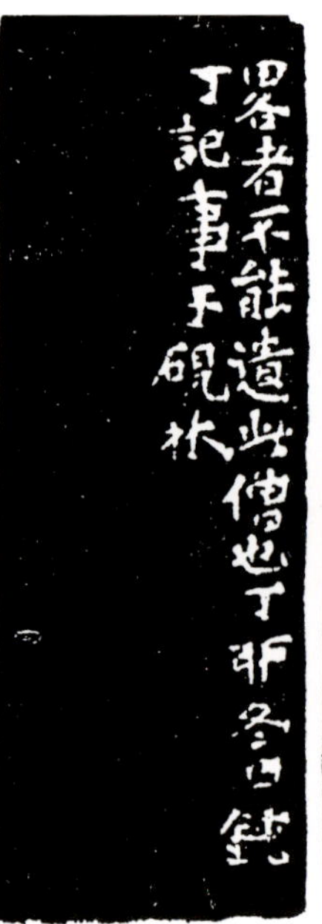

西湖禪和

清

丁敬

白雲峰在今法喜寺北即故上天竺寺也內有白
雲堂宋守沈文通為高僧辯才所建余方外友
烎虛中禪師來主法喜之席元余刻白雲峰主
四字石章以為閒玩並欲拈辯才為今恭以答為
可語其遠情高韻殆与是峰競爽我余因欣
應其請須剡而成不假緣飾頗得吾友木也
住山之致云甲戌丁敬身記時年六十

烎虛禪師以坐蔽見貽風味清遠而采翠
可結云名寓其豈以形似篠萌可以寓綰
耶輒作四十字附刻于此答之
坐蔽來何地高禪遠見分翠疑閒擷杷
象比一窩雲香盎平生操清資世外閑
多師珍重意何亂青莪筆 敬身上

白雲峰主

清

丁敬

接山堂

清

丁敬

兩湖三竺萬壑千岩

清

丁敬

嶺上白雲

清

丁敬

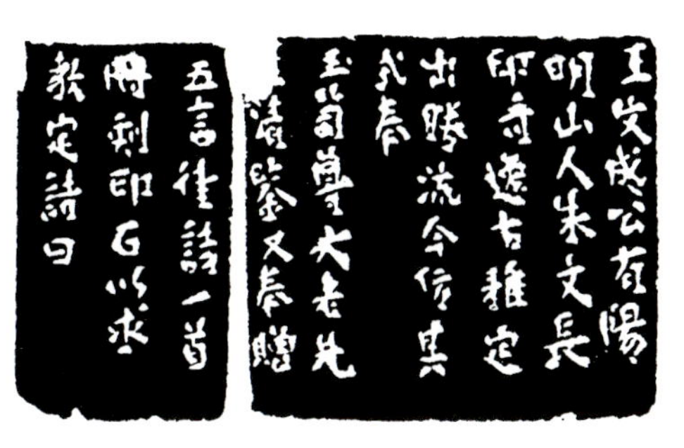

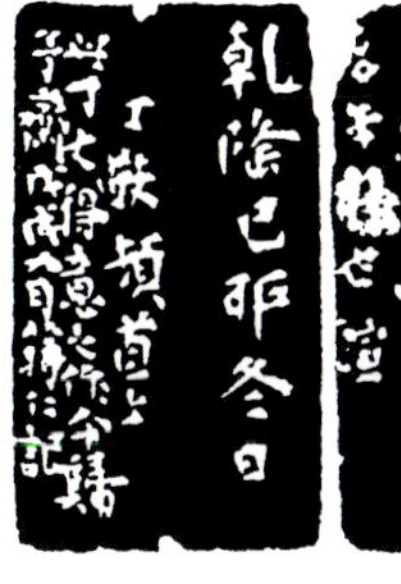

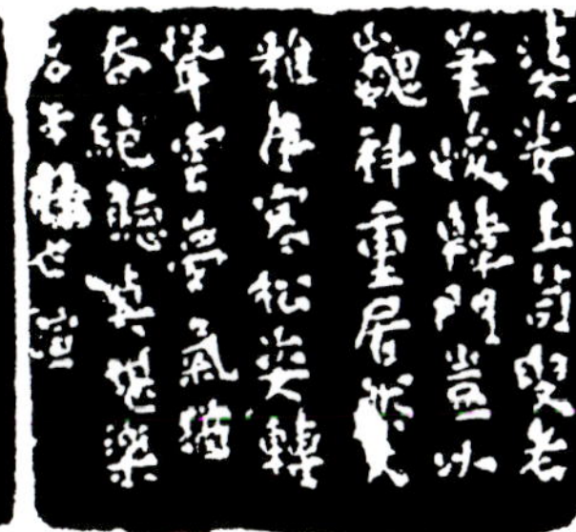

石畬老農印

清

丁敬

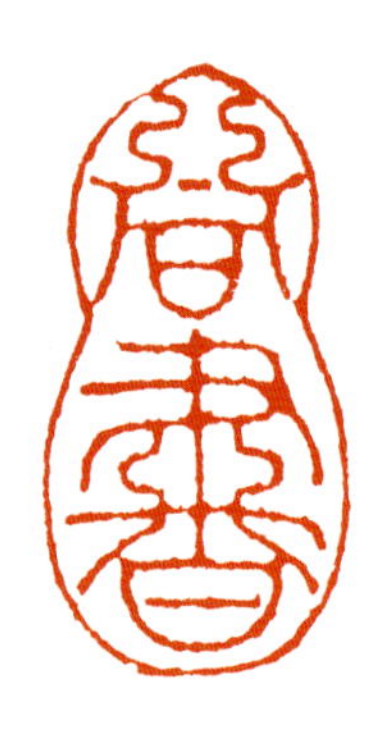

同書
清
丁敬
現藏上海博物館。

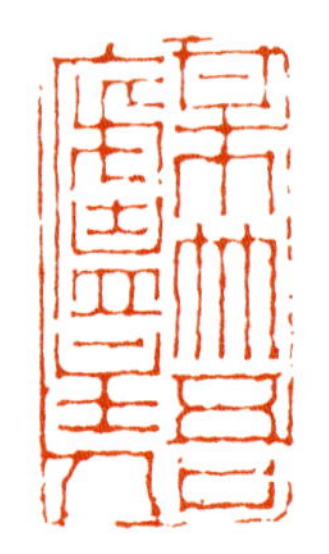

梅竹吾廬主人
清
丁敬
現藏上海博物館。

有漏神仙有髮僧
清
丁敬

寂善之印
清
丁敬

聶際成（約公元1699－？年）

長山（今山東鄒平東）人。號松岩。工篆刻，師從張在辛，法秦漢。著有《保陽篆草》。

杉屋吟箋
清
丁敬

恭則壽
清
聶際成

松山樵
清
聶際成

王玉如（約公元1708－1748年）

奉賢（今屬上海）人。字聲振，號研山。王睿章從子，篆刻得其伯父親授。著有《澄懷堂印譜》和《硯山印草》等。

常須隱惡揚善不可口是心非
清
王玉如

掃地焚香
清
王玉如

小橋流水人家
清
王玉如

陳 煉（公元1730－1775年）

同安（今福建廈門）人，寓居華亭（今上海松江）。字在專，號西庵，別署煉玉道人。著有《超然樓印譜》和《適安草堂詩抄》。

林花掃更落徑草踏還生
清
陳煉

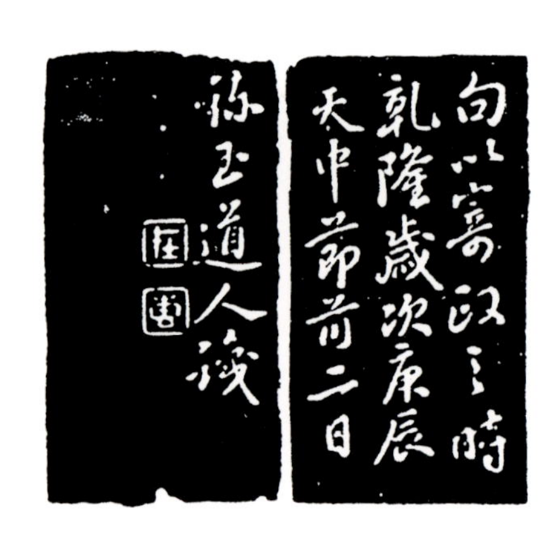

願讀人間未見書

清

陳煉

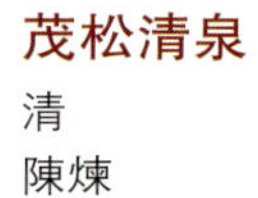

茂松清泉

清

陳煉

鞠履厚（約公元1734年－？年）

奉賢（今屬上海）人。字坤皋，又字樵霞，號一草主人。篆刻工穩秀挺，尤精摹印。著有《坤皋鐵筆》二卷。

畫橋烟樹

清

鞠履厚

姓氏不通人不識

清

鞠履厚

探賾索隱

清

鞠履厚

閒者便是主人

清

鞠履厚

鳳翥鸞翔

清

鞠履厚

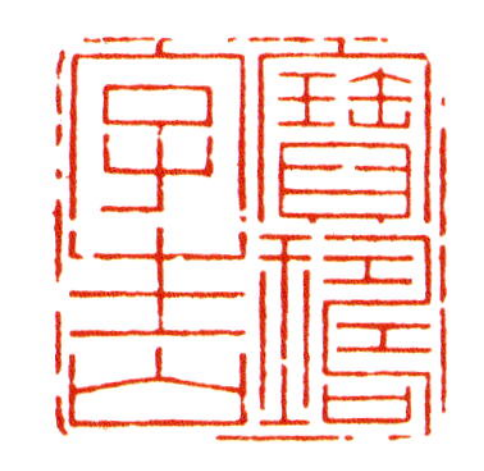

寶璹字生山

清

鞠履厚

現藏上海博物館。

掃花仙

清

鞠履厚

孫星衍（公元1735－1818年）

陽湖（今江蘇常州）人。字伯淵，亦字淵如、號季逑，别署芳茂山人。工篆隸，治印法度嚴整。

生于癸丑
清
孫星衍

王 綍（約公元1735－？年）

晉寧（今雲南晉寧東）人。字敷訓，一字雲敕，號雪廬，别號學士山樵、老敷等。著有《雪廬紅書》和《采雲書屋印片》。

南山之南
清
王綍

此境此時此意
清
王綍

潘西鳳（公元1736－1795年）

新昌（今屬浙江）人。字桐岡，號老桐。精于刻竹，于印一道，功力極深，爲“四鳳派”主要印人之一。

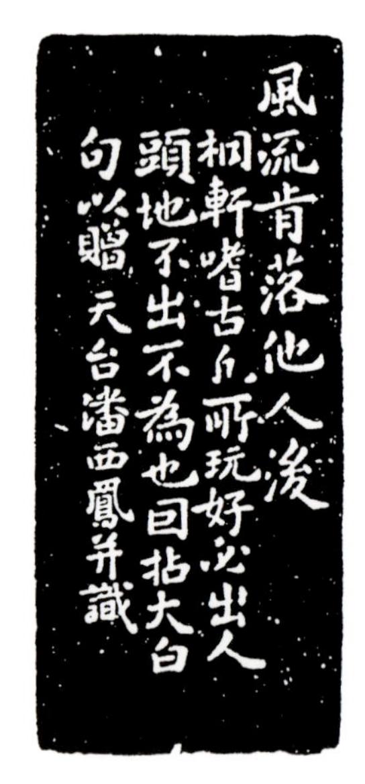

風流肯落他人後
清
潘西鳳

福不可極留有餘

清

潘西鳳

桂 馥（公元1736－1805年）

曲阜（今屬山東）人。字未谷，號冬卉，別號肅然山外史，晚號老苔。爲清代著名經學家、金石家和書法篆刻理論家。著有《説文義證》和《續三十五舉》等。

綿潭漁長

清

桂馥

在虎竹

清

桂馥

現藏上海博物館。

張燕昌（公元1738－1814年）

海鹽（今屬浙江）人。字芑堂，號文魚，又號文漁、金粟山人。著有《金石契》、《石鼓文釋存》和《芑堂刻印》等。

樂夫天命

清

張燕昌

現藏上海博物館。

董 洵（公元1740－？年）

山陰（今浙江紹興）人。字企泉，號小池，又號念巢。著有《石壽軒印譜》和《多野齋印說》等。

小琅嬛
清
董洵
現藏上海博物館。

中年陶寫
清
董洵
現藏上海博物館。

香南雪北之廬
清
董洵

陳克恕（公元1741－1809年）

海寧（今屬浙江）人。字體行，一字健清，號目耕、目耕山農，又號吟香、妙果山人等。精篆隸書、篆刻學，工治印。著有《篆學示斯》和《篆體經眼》等。

明窗净几筆硯精良焚香著書人生一樂
清
陳克恕

慎言語節飲食
清
陳克恕

蔣　仁（公元1743－1795年）

仁和（今浙江杭州）人。初名泰，字階平，改字山堂，號吉羅居士、女床山民等。爲“西泠八家”之一，後人輯有《吉羅居士印譜》。

蔣山堂印

清

蔣仁

現藏上海博物館。

蔣仁印

清

蔣仁

雲林堂

清

蔣仁

邵志純字曰懷粹印信

清

蔣仁

三摩

清

蔣仁

真水無香

清

蔣仁

現藏上海博物館。

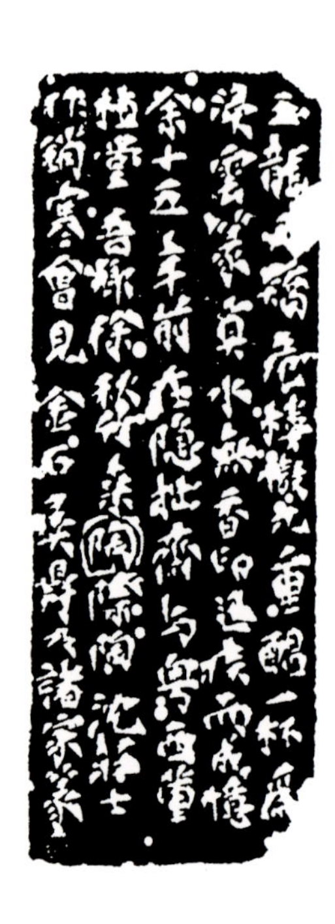

項墉之印
清
蔣仁
現藏上海博物館。

鄧石如（公元1743－1805年）

懷寧（治今安徽安慶）人。原名琰，字頑伯，號完白山人等。著有《完白山人篆刻偶存》等。

一日之迹
清
鄧石如

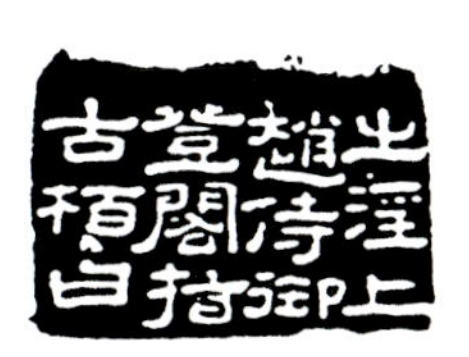

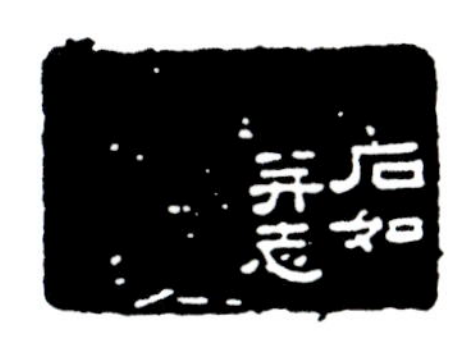
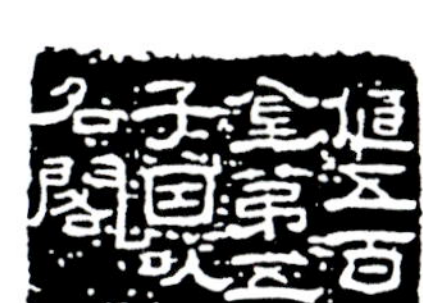

半千閣
清
鄧石如

淫讀古文甘聞异言
清
鄧石如
現藏上海博物館。

宧鄰尚褧萊石兄弟圖書

清

鄧石如

現藏上海博物館。

完白山人

清

鄧石如

江流有聲斷岸千尺

清

鄧石如

現藏浙江省杭州市西泠印社。

意與古會

清

鄧石如

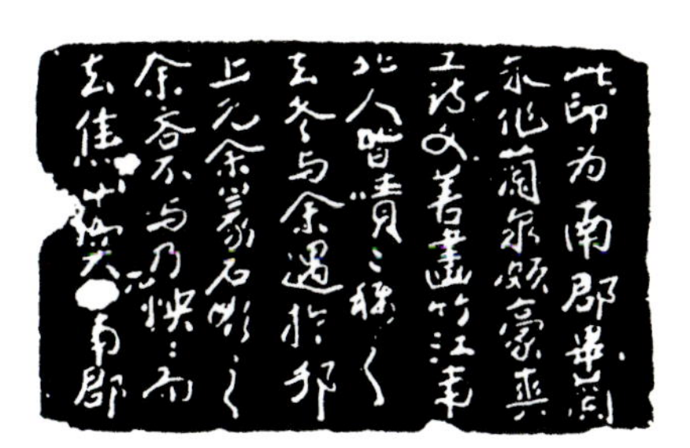

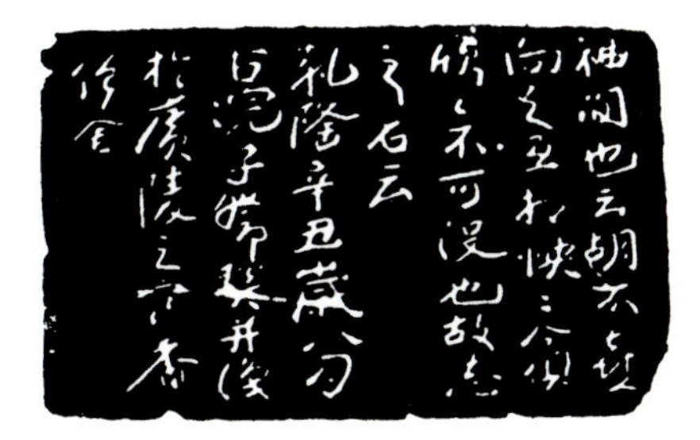

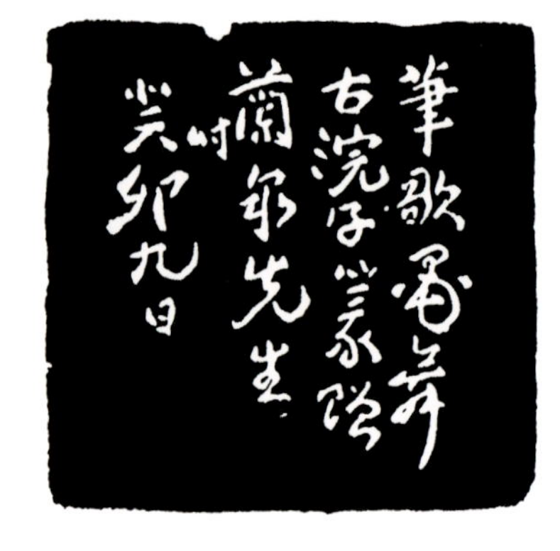

筆歌墨舞

清

鄧石如

新篁補舊林

清

鄧石如

心閒神旺
清
鄧石如

巴慰祖（公元1744－1793年）

歙縣（今屬安徽）人。字晋堂，一作雋堂，號予籍，又號子安、蓮舫等。工書畫，精鑒賞，喜收藏。于印一道，師法漢印、漢碑、漢碑額和秦漢金石文字，印風自成一家。

乙卯優貢辛巳孝廉

清

巴慰祖

現藏上海博物館。

慰祖信印

清

巴慰祖

董小池

清

巴慰祖

胡唐印信

清

巴慰祖

黄　易（公元1744－1802年）

仁和（今浙江杭州）人。字大易，號小松、秋盦。著有《小蓬萊閣金石文字》，有《秋景盦主印譜》傳世。

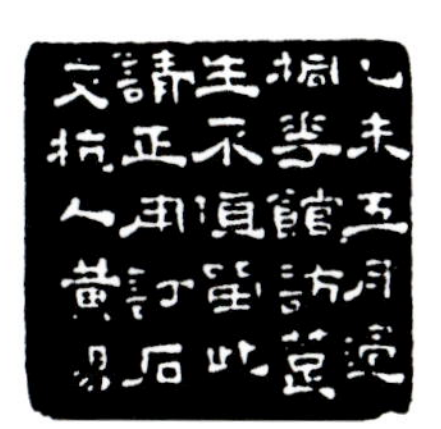

茶熟香温且自看

清

黄易

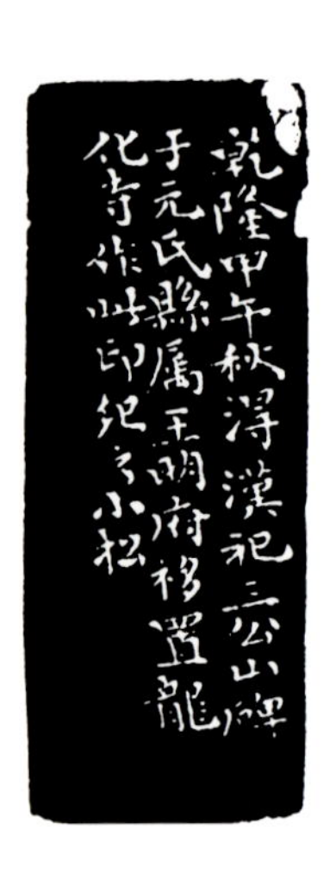

小松所得金石
清
黄易
現藏上海博物館。

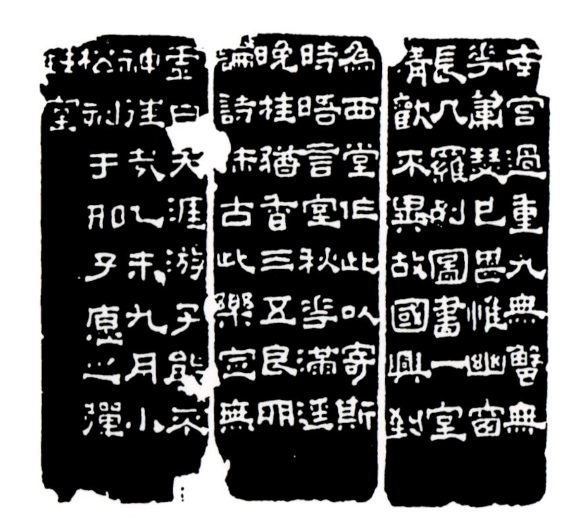

陳氏晤言室珍藏書畫
清
黄易

趙氏金石
清
黄易

覃谿鑒藏
清
黄易
現藏上海博物館。

金石癖
清
黄易

秋子

清

黄易

晚香居士

清

黄易

奚　岡（公元1746－1803年）

原籍歙縣（今屬安徽），世居杭州（今屬浙江）西湖。初名鋼，字純章，更字鐵生，號蘿龕，别號奚道人等。著有《冬花庵燼餘稿》和《蒙泉外史印譜》等。

散木居士

清

奚岡

蒙老

清

奚岡

蒙泉外史

清

奚岡

龍尾山房

清

奚岡

現藏上海博物館。

秋聲館主

清

奚岡

現藏上海博物館。

頻羅庵主

清

奚岡

現藏上海博物館。

匏卧室

清

奚岡

現藏上海博物館。

黄景仁（公元1749－1783年）

武進（今江蘇常州）人。字漢鏞、仲則，自號鹿菲子。印風蒼秀有致，著有《兩當軒詩集》和《西蠡印稿》。

笥河府君遺藏書畫

清

黄景仁

此懷何處消遣

清

黄景仁

黄 吕

生卒年不詳，活動于清代乾隆年間（公元1736－1795年）。歙縣（今屬安徽）人。字次黄，號鳳六山人，又號六鳳山人。詩書畫印均擅。

醉香道人
清
黄吕

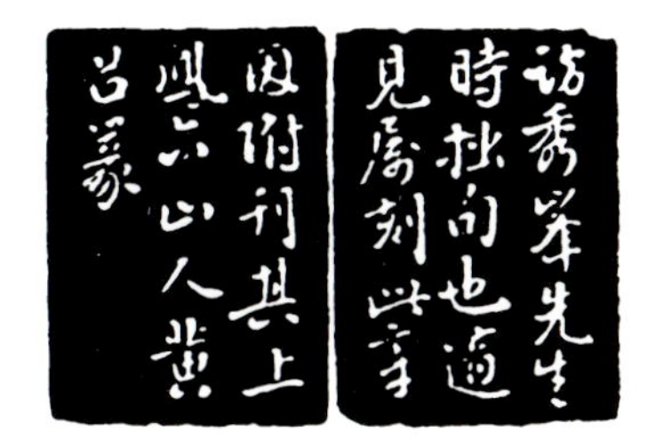

天君泰然
清
黄吕
現藏上海博物館。

張 梓

生卒年不詳，活動于清乾隆年間（公元1736－1795年）。松江（今上海）人。字干庭，號瞻園。師從王梧林和歸昌世。著有《印宗》。

落紅鋪徑水盈池
清
張梓

惜陰書屋
清
張梓

陳渭

生卒年不詳，活動于清乾隆年間（公元1736－1795年）。平湖（今屬浙江）人。字桐野，號首亭。篆刻取法何震和蘇宣，所作蒼古健秀。

乾隆戊子中春倣雪漁山人筆 陳渭

開卷有益
清
陳渭

性託夷簡時愛林泉
清
陳渭

仇塏

生卒年不詳，活動于清乾隆年間（公元1736－1795年）。歸安（今浙江湖州）人。字遐昌，號霞村。工篆刻。著有《霞村印譜》。

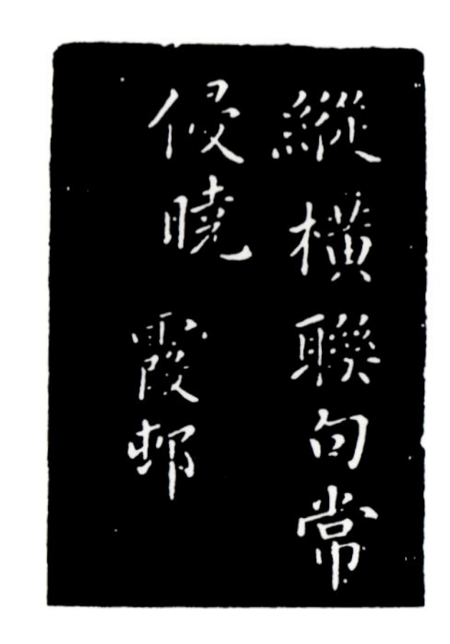

縱橫聯句常侵曉
清
仇塏

膽瓶花落研池香
清
仇塏

金　鏐

生卒年不詳，活動于清乾隆年間（公元1736－1795年）。字素峰。工詩、古文詞、篆刻。著有《嚴素峰印譜》。

白雲深處是吾鄉

清

金鏐

金素娟

女，生卒年不詳，活動于清乾隆年間（公元1736－1795年）。長洲（今江蘇蘇州）人。所作不乏天趣和法度。

鋤頭當枕江草爲氈

清

金素娟

徐寶鈺

生卒年不詳，活動于清乾隆年間（公元1736－1795年）。嘉興（今屬浙江）人。字昆臺。擅篆刻。

郯可培印

清

徐寶鈺

現藏上海博物館。

喬　林

生卒年不詳，活動于清乾隆年間（公元1736－1795年）。如皋（今屬江蘇）人。字翰園，號西墅，晚號墨莊。工詩畫，善篆隸。

桃花潭水

清

喬林

人事多所不通惟酷好學問文章
清
喬林

歌吹沸天
清
喬林

周　芬

生卒年不詳，活動于清乾隆年間（公元1736－1795年）。錢塘（今浙江杭州）人。字子芳，號蘭坡，别署醒心子。所作多大印，工穩遒利。

飛鴻堂書畫印
清
周芬

春風吹到讀書窗
清
周芬

斜月隱吟窗
清
周芬

枕善而居
清
周芬

俞庭槐

生卒年不詳，活動于清代乾隆年間（公元1736－1795年）。嘉興（今屬浙江）人。字拱三，號鞏山。善摹舊印，宗程邃和朱簡。

深柳讀書堂
清
俞庭槐

食氣者壽
清
俞庭槐

林　霔

生卒年不詳，活動于清乾隆至嘉慶年間（公元1736－1820年）。福州（今屬福建）人。字德澍，號雨蒼、晴坪老人、桃花洞口漁人等。工書法，篆刻爲時所重。

爲知者道
清
林霔

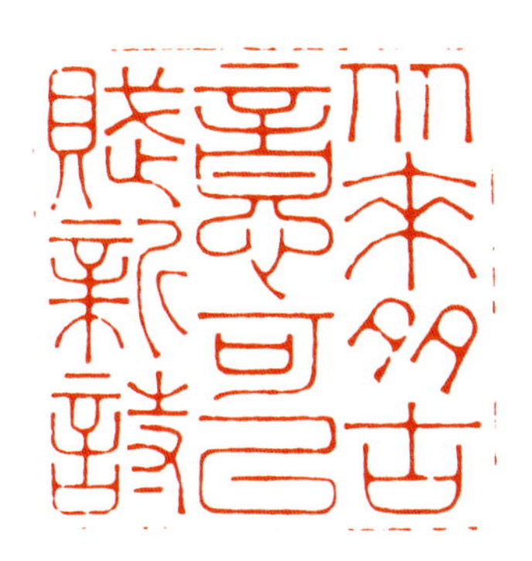

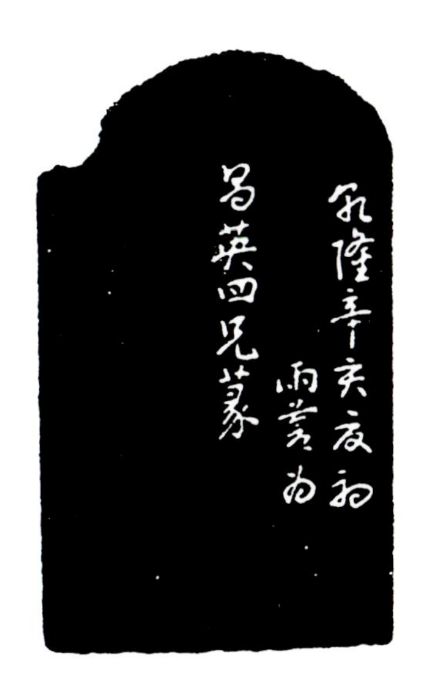

從來多古意可以賦新詩
清
林霔
現藏上海博物館。

胡　唐（公元1759－約1826年）

歙縣（今屬安徽）人。又名長庚，字子西，號西甫、睟翁、木雁居士和城東居士。工詩善書，篆刻師法其舅巴慰祖。

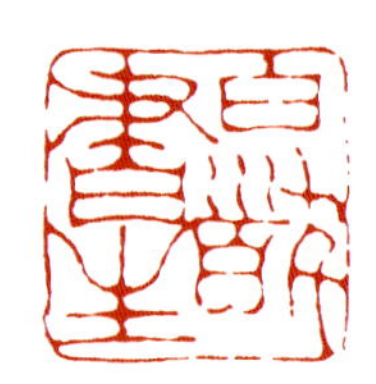

白髮書生
清
胡唐

樹穀
清
胡唐

陳豫鍾（公元1762－1806年）

錢塘（今浙江杭州）人。字浚儀，號秋堂。爲“西泠八家”之一，著有《古今畫人傳》和《求是齋集》等。

求是齋
清
陳豫鍾
現藏上海博物館。

趙氏晋齋
清
陳豫鍾

幾生修得到梅花
清
陳豫鍾

文章有神交有道
清
陳豫鍾

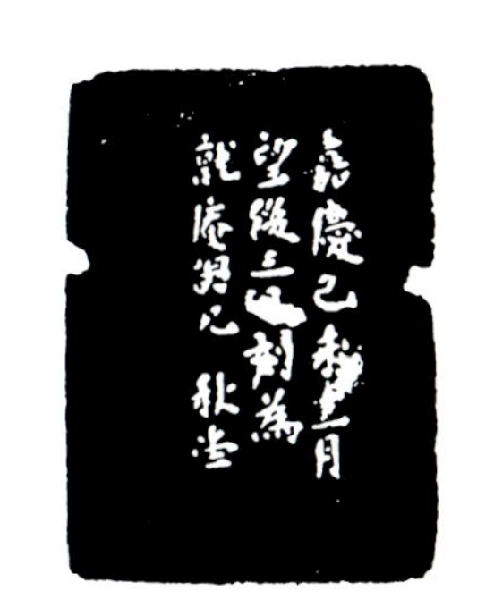

書帶草堂
清
陳豫鍾

盧小鳧印
清
陳豫鍾

清嘯閣
清
陳豫鍾

文　鼎（公元1766－1852年）

秀水（今浙江嘉興）人。字學匡，號後山、後翁等。篆刻謹嚴，章法工穩，得文彭遺意。

寶花舊氏
清
文鼎
現藏上海博物館。

向榴私印
清
文鼎

陳鴻壽（公元1768－1822年）

錢塘（今浙江杭州）人。字子恭，號曼生，又號曼公、夾谷亭長、種榆道人、清溪漁隱等。爲“西泠八家”之一，著有《桑連理館集》和《種榆仙館印譜》。

門有通德家承賜書
清
陳鴻壽

石蘿庵主

清

陳鴻壽

現藏上海博物館。

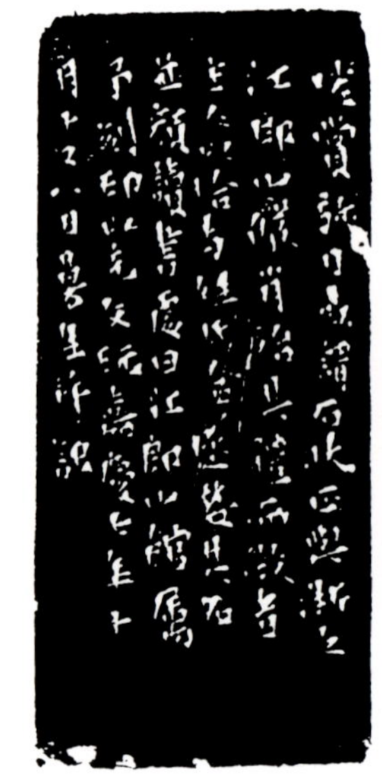

江郎山館

清

陳鴻壽

現藏上海博物館。

元梅私印

清

陳鴻壽

我書意造本無法

清

陳鴻壽

現藏上海博物館。

南薌書畫

清

陳鴻壽

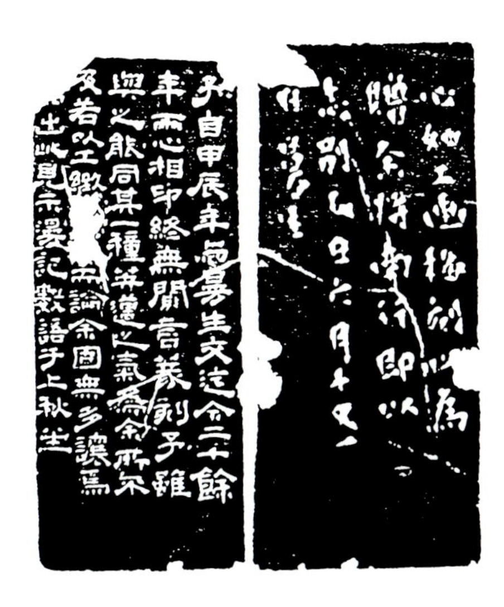

問梅消息

清

陳鴻壽

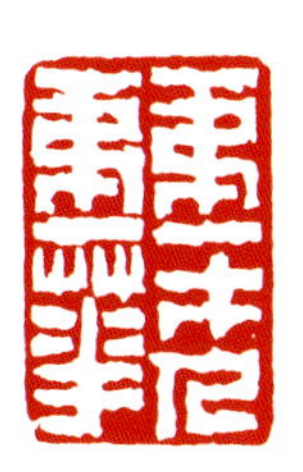

第一才人第一花

清

陳鴻壽

屠　倬（公元1781－1828年）

錢塘（今浙江杭州）人。字孟昭，號琴塢，晚號潜園、耶溪漁隱。工詩文，善書畫。篆刻宗陳鴻壽，造詣頗深。

查揆字伯葵印

清

屠倬

現藏上海博物館。

吾亦澹蕩人

清

屠倬

蔣村草堂

清

屠倬

楊　澥（公元1781－1850年）

吴江（今屬江蘇）人。原名海，字竹唐，號龍石，晚號野航。深研金石考據，所刻正書、隸書側款，得漢魏六朝碑刻遺意。著有《楊龍石印存》二卷。

天與湖山供坐嘯

清

楊澥

現藏上海博物館。

計大塤印

清

楊澥

趙之琛（公元1781－1860年）

錢塘（今浙江杭州）人。字次閑，號獻父，亦作獻甫，又號寶月山人。爲“西泠八家”之一，篆刻兼取名家之長，尤以單刀著名。著有《補邏迦室集鈔》和《補邏迦室印譜》。

補羅迦室

清

趙之琛

萍寄室
清
趙之琛

回首舊游何在柳烟花霧迷春
清
趙之琛

慧聞畫印
清
趙之琛

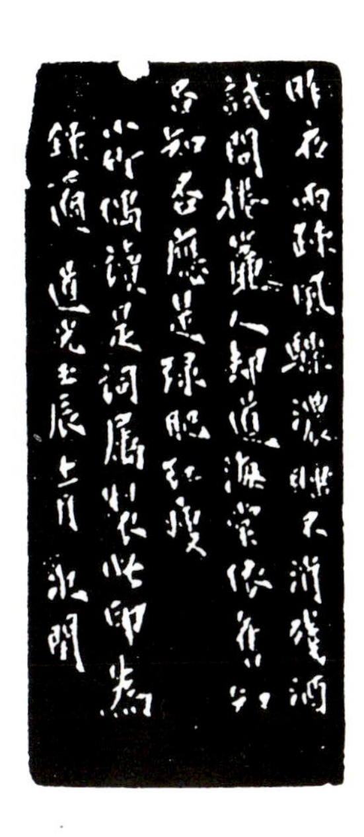

緑肥紅瘦
清
趙之琛

曾經滄海
清
趙之琛

古杭高治叔荃印信
清
趙之琛

深心託毫素
清
趙之琛

文字飲金石癖翰墨緣
清
趙之琛
現藏上海博物館。

嚴　坤

生卒年不詳，活動于清嘉慶至道光年間（公元1796－1850年）。歸安（今浙江湖州）人。字粟夫。工篆隸，篆刻以丁敬、陳鴻壽爲宗。著有《溲勃從殘》和《太上感應篇印譜》。

斛泉
清
嚴坤

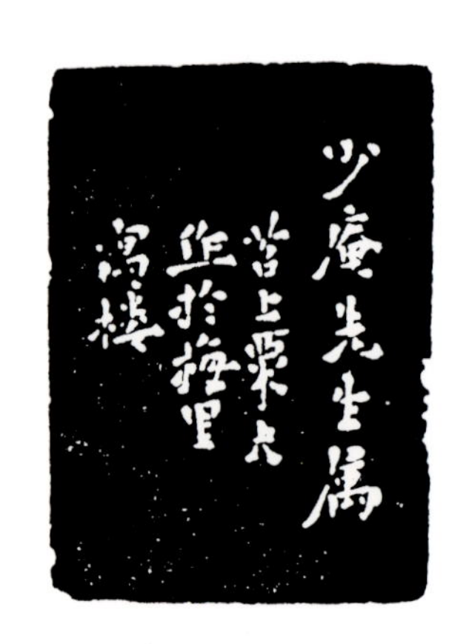

小芸香館
清
嚴坤

復翁
清
嚴坤

華南硯北生涯
清
嚴坤

趙　懿

生卒年不詳，活動于清嘉慶至道光年間（公元1796－1850年）。錢塘（今浙江杭州）人。初名祖仁，字谷庵，號懿子。

豪氣未除
清
趙懿

襟上杭州舊酒痕
清
趙懿

馮承輝（公元1786－1840年）

婁縣（今上海松江）人。字少眉，號伯承。篆刻取法秦漢，旁及浙皖兩派，能出新意，著有《石鐵齋印譜》、《印學管見》等。

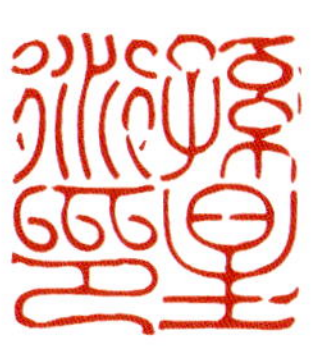

孫星衍印
清
馮承輝
現藏上海博物館。

程庭鷺（公元1796－1858年）

嘉定（今屬上海）人。字序伯，號蘅鄉，又號夢盦等。著有《小松圓閣印存》和《紅蘅館印譜》等。

耻爲升斗謀
清
程庭鷺
現藏上海博物館。

吴熙載（公元1799－1870年）

儀徵（今屬江蘇）人。初名廷颺，字讓之，亦作攘之，以字行，號方竹丈人、晚學居士等。印章一道，深入漢印，自創一格。

熙載之印
清
吴熙載

攘之
清
吴熙載

姚正鏞字仲聲
清
吴熙載

攘之手摹漢魏六朝
清
吴熙載

汪鋆兩面印
清
吴熙載
印文：一爲“汪鋆”；一爲“硯山”。

此書徵社兄所藏印以示輔之繹求福广寄爲讓翁手筆與魏椽孫先生手拓讓之印構中相合同文者大小凡三方此爲最佳今三石皆歸書徵大一古緣也福广識之書徵其寶藏之

觀海者難爲水

清

吴熙載

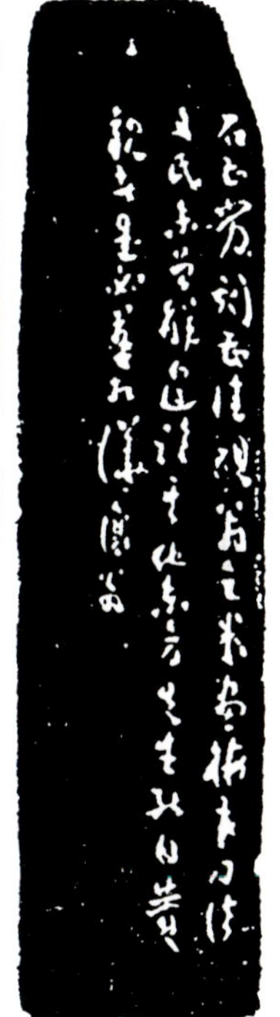

畫梅乞米

清

吴熙載

宛鄉弟子
清
吴熙載

震无咎齋
清
吴熙載
現藏上海博物館。

醉墨軒收藏金石書畫
清
吴熙載

張　辛（公元1811－1848年）

海鹽（今屬浙江）人。原名辛有，字受之。

銀藤花館
清
張辛

翁大年（公元1811－1890年）

吴江（今屬江蘇）人。原名鴻，字叔鈞，更字叔均，號陶齋。著有《古官印志》、《古兵符考》、《瞿氏印考辨證》、《秦漢印型》、《陶齋印譜》和《陶齋金石考》等。

當湖朱善旂建卿父珍藏
清
翁大年
現藏上海博物館。

朗亭
清
翁大年
現藏上海博物館。

白雲深處是吾廬
清
吴咨

身行萬里半天下
清
翁大年
現藏上海博物館。

人間何處有此境
清
吴咨

吴　咨（公元1813－1858年）

武進（今江蘇常州）人。字聖俞，號哂予。著有《適園印存》。

人在蓬萊第一峰
清
吴咨

沈愛蘐

生卒年不詳，活動于清道光年間（公元1821－1850年）。嘉興（今屬浙江）人。字琴伯，又字壽伯。

守甓齋
清
沈愛蘐

十研樓圖書記

清
沈愛蘐
現藏上海博物館。

楊與泰

生卒年不詳，活動于清道光至咸豐年間（公元1821－1861年）。錢塘（今浙江杭州）人。字辛庵。

常恐不才身復作無名死

清
楊與泰

餘波雅集圖

清
楊與泰

李聯琇印

清
楊與泰

陳祖望

生卒年不詳，活動于清道光至咸豐年間（公元1821－1861年）。字纘思。

毛庚私印

清
陳祖望
現藏上海博物館。

葺盦
清
陳祖望

紫陽沛然甫省生珍藏
清
陳祖望

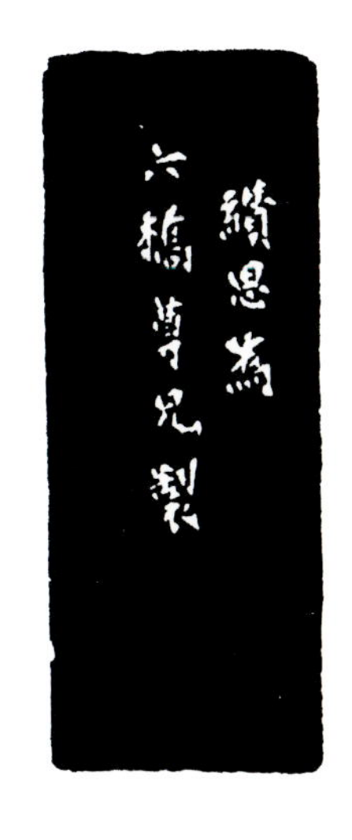

六橋
清
陳祖望

胡　震（公元1817－1862年）

富陽（今屬浙江）人。字不恐，號鼻山，一號胡鼻山人，别號富春大嶺長。

長壽公壽
清
胡震

胡公壽宜長壽
清
胡震

華亭胡氏
清
胡震
現藏上海博物館。

胡鼻山人同治大善以後所書
清
胡震

錢　松（公元1818－1860年）

錢塘（今浙江杭州）人。初名松如，字叔蓋，一字耐青，號鐵廬、西郭外史、雲居山人等。後人將他與胡震的篆刻作品合編爲《錢胡印譜》，亦有人將他個人的作品輯爲《鐵廬印譜》。

稚禾手摹
清
錢松

檇李范守知章
清
錢松

藏壽室印
清
錢松

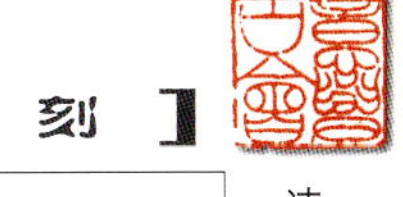

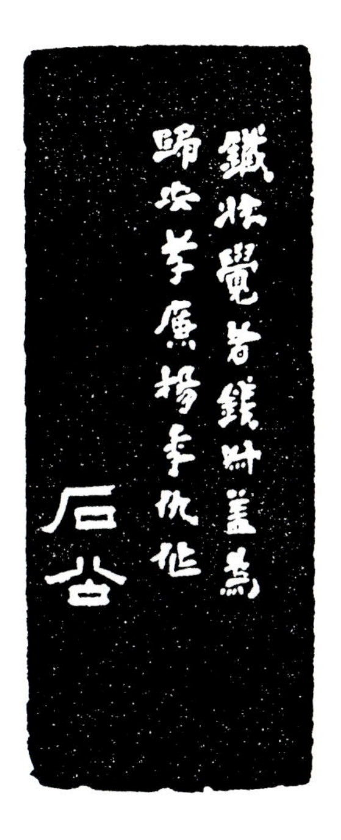

楊季仇信印大貴長壽

清

錢松

宣公後裔

清

錢松

燕園主人詩詞歌賦之章

清

錢松

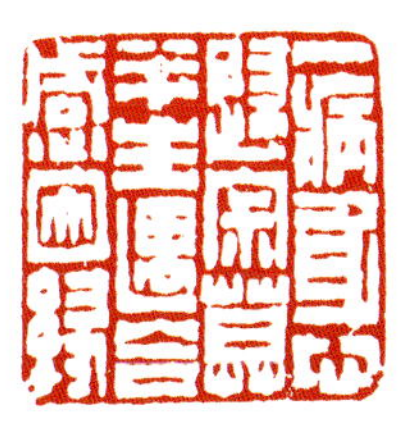

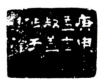

一病身心歸寂寞半生遇合感因緣

清

錢松

江　尊（公元1818－1908年）

錢塘（今浙江杭州）人。字尊生，號西谷，又號太吉、冰心老人等。爲趙之琛弟子，傳乃師衣鉢。

宋文正公二十三世孫爲金字衣垞

清

江尊

現藏上海博物館。

得意唐詩晋帖間

清

江尊

徐三庚（公元1826－1890年）

上虞（今浙江上虞南）人。字辛穀，號井罍，又號袖海，别號似魚室主、金罍山民等。後人將其作品編爲《金罍山民印存》和《金罍印摭》等。

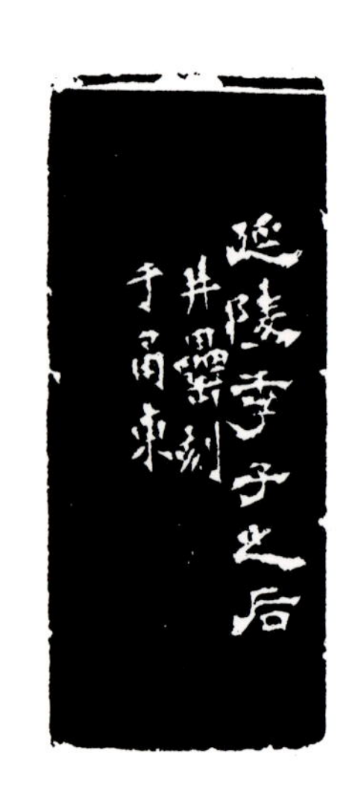

延陵季子之後

清

徐三庚

現藏上海博物館。

王引孫印

清

徐三庚

桃花書屋
清
徐三庚

滋畲
清
徐三庚

筆補造化天無功
清
徐三庚

秀水蒲華作英
清
徐三庚

有所不爲
清
徐三庚

蒲華印信
清
徐三庚

何昆玉（公元1828－？年）

高要（治今廣東肇慶）人。字伯瑜。輯有《吉金齋古銅印譜》。

方氏子箴

清

何昆玉

現藏上海博物館。

曾登琅邪手拓秦刻

清

何昆玉

趙之謙（公元1829－1884年）

會稽（今浙江紹興）人。字撝叔，初字益甫，號悲盦，又號鐵三、憨寮、冷君、無悶等。著有《二金蝶堂印譜》和《補寰宇訪碑録》等。

二金蝶堂

清

趙之謙

悲盦

清

趙之謙

績溪胡澍川沙沈樹鏞仁和魏錫曾會稽趙之謙同時審定印

清

趙之謙

趙之謙印

清

趙之謙

飡經養年
清
趙之謙

丁文蔚

清

趙之謙

鑒古堂

清

趙之謙

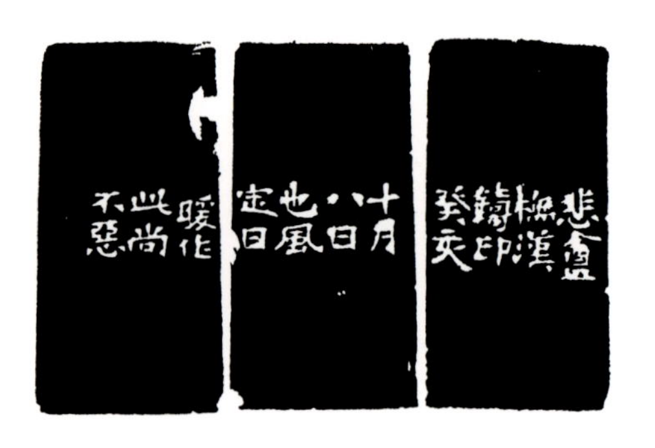

魏稼孫

清

趙之謙

朱志復字子澤之印信

清

趙之謙

樹鏞審定

清

趙之謙

小蓬萊閣漢石經殘字聞尚在人間
均初將求而得之記其室以俟癸亥秋悲盦刻
是歲除夜均初來告已得石經元日早起即
走相賀出此紙觀悵憙如意識紀于石

漢石經室

清

趙之謙

賜蘭堂

清

趙之謙

現藏上海博物館。

朱崇

生卒年不詳，活動于清同治至光緒年間（公元1862－1908年）。南昌（今屬江西）人。字山父，號山子。

任熊之印
清
朱崇

陳雷

生卒年不詳，活動于清同治至光緒年間（公元1862－1908年）。錢塘（今浙江杭州）人。初名彭壽，字震叔，號老菱。著有《養自然齋印存》。

沈彤元印
清
陳雷

王石經（公元1833－1918年）

濰縣（今山東濰坊）人。字西泉，又字君都。著有《甄古齋印譜》（又名《西泉印存》）等。

千化笵室
清
王石經

曹鴻勛印
清
王石經

齊東陶父
清
王石經

海濱病史

清

王石經

胡 钁（公元1840－1910年）

石門（今浙江桐鄉）人。字匊鄰，號老匊，別號晚翠亭長。著有《晚翠亭印儲》。

石門胡钁長生安樂

清

胡钁

現藏上海博物館。

泉唐楊晉長壽

清

胡钁

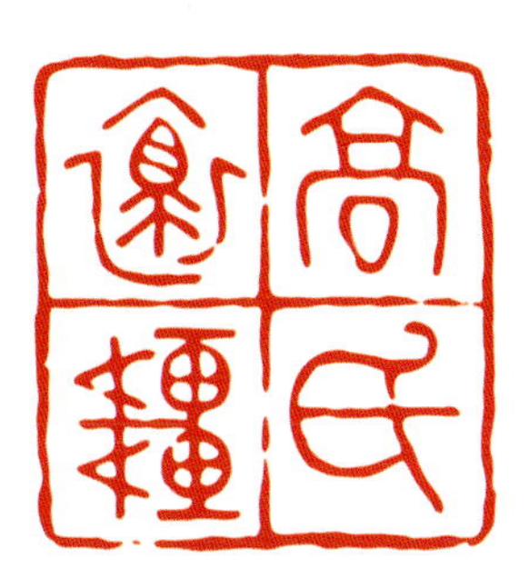

高氏兩面印

清

胡钁

印文：一爲“高氏寀軒”；一爲“爾夔印信長壽”。

秋霽樓

清

胡钁

吴昌碩（公元1844－1927年）

安吉（今屬浙江）人。初名俊，又名俊卿，字倉石、昌碩等，號缶廬、苦鐵、缶道人等。著有《缶廬印存》、《篆雲軒印存》和《鐵函山館印存》等。

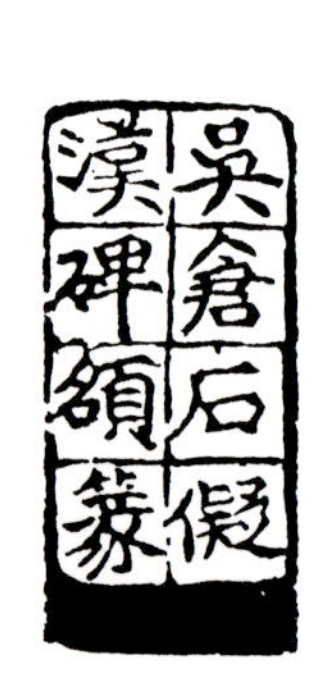

倉石道人珍秘

清

吴昌碩

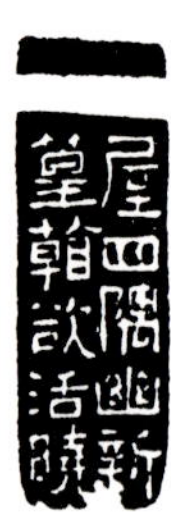

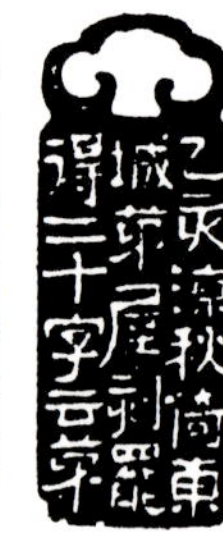

缶記

清

吴昌碩

倉碩兩面印

清

吴昌碩

印文：一爲“倉碩”；一爲“俊卿之印”。

現藏上海博物館。

安吉吴俊章

清

吴昌碩

湖州安吉縣

清

吴昌碩

明道若昧

清

吴昌碩

山陰沈慶齡印信長壽

清

吴昌碩

現藏上海博物館。

悔盦

清

吴昌碩

吴俊卿

清

吴昌碩

暴書廚
清
吴昌碩
現藏上海博物館。

集虚草堂
清
吴昌碩

老夫無味已多時
清
吴昌碩

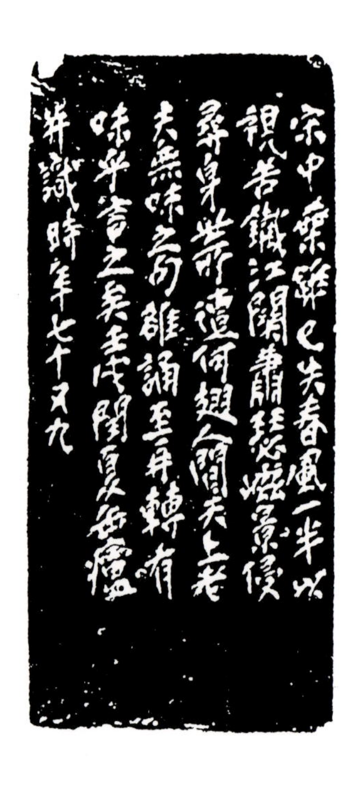

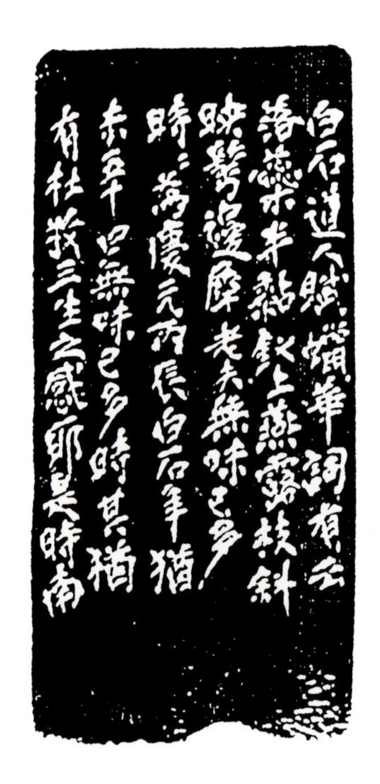

趙 穆（公元1845－1894年）

字仲穆，原名垣，號穆庵、牧園、琴鶴生、龍池山人、南蘭居士等，晚號老鐵。工詩善畫，書擅篆隸。印章學秦漢金石碑版，自成風格。

毗陵趙氏穆父金石因緣印譜
清
趙穆

百將印譜
清
趙穆

百美印譜
清
趙穆

趙穆之印
清
趙穆

黃士陵（公元1849－1908年）

黟縣（今屬安徽）人。字牧甫，又作穆父、穆甫，號倦叟、倦游窠主。晚清著名的書畫篆刻家。其子黃少牧輯印其手鈐存稿爲《黟山人黃牧甫先生印集》。

祇雅樓印
清
黃士陵

器父
清
黄士陵

鯤游别館
清
黄士陵

茅堂
清
黄士陵

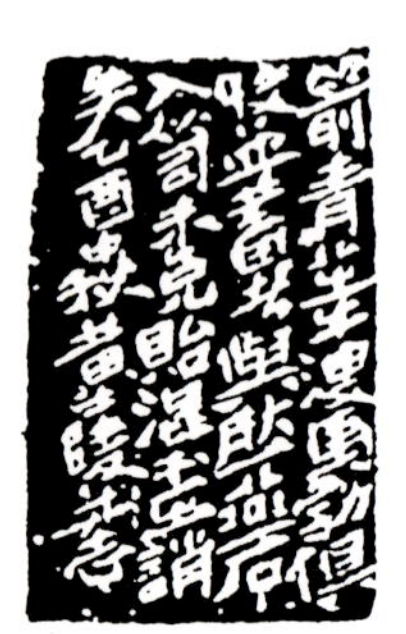
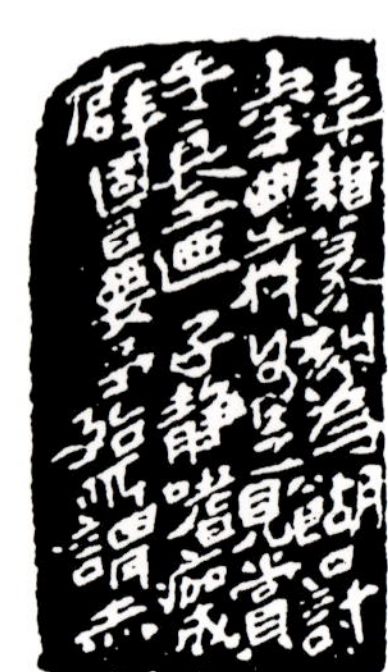
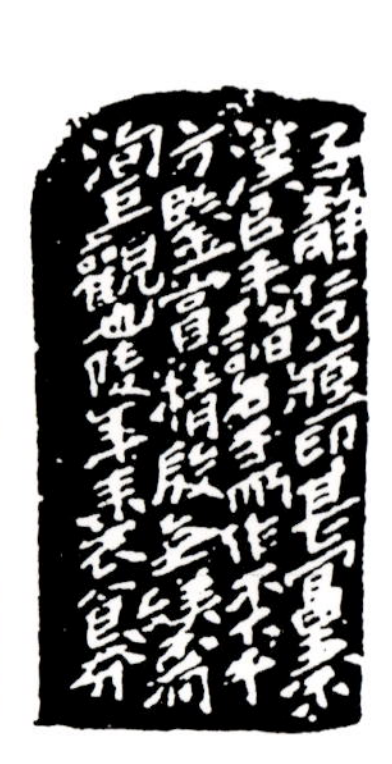

士愷長壽
清
黄士陵

萬物過眼即爲我有
清
黄士陵

好學爲福

清

黄士陵

季荃一號定齋

清

黄士陵

現藏上海博物館。

四鍾山房

清

黄士陵

古槐鄰屋

清

黄士陵

年　表

（紅色字體爲本卷涉及時代）

新石器時代（公元前8000年－公元前2000年）

夏（公元前21世紀－公元前16世紀）

商（公元前16世紀－公元前11世紀）

西周（公元前11世紀－公元前771年）

春秋（公元前770年－公元前476年）

戰國（公元前475年—公元前221年）

秦（公元前221年—公元前207年）

漢（公元前206年—公元220年）

西漢（公元前206年—公元8年）

新（公元9年—公元23年）

東漢（公元25年—公元220年）

三國（公元220年—公元265年）

魏（公元220年—公元265年）

蜀（公元221年—公元263年）

吴（公元222年—公元280年）

西晋（公元265年—公元316年）

十六國（公元304年—公元439年）

東晋（公元317年—公元420年）

北朝（公元386年—公元581年）

北魏（公元386年－公元534年）

東魏（公元534年－公元550年）

西魏（公元535年－公元556年）

北齊（公元550年－公元577年）

北周（公元557年－公元581年）

南朝（公元420年—公元589年）

宋（公元420年－公元479年）

齊（公元479年－公元502年）

梁（公元502年－公元557年）

陳（公元557年－公元589年）

隋（公元581年—公元618年）

唐（公元618年—公元907年）

五代十國（公元907年—公元960年）

遼（公元916年—公元1125年）

宋（公元960年—公元1279年）

北宋（公元960年—公元1127年）

南宋（公元1127年—公元1279年）

西夏（公元1038年—公元1227年）

金（公元1115年—公元1234年）

元（公元1271年—公元1368年）

明（公元1368年—公元1644年）

清（公元1644年—公元1911年）